TACK!

Genom att välja en klimatsmart pocket från Månpocket bidrar du till vårt arbete för att göra produktionen av pocketböcker miljövänligare.

Vår vision är att ge ut böcker där man tagit hänsyn till miljön i varje steg av produktionen – och vi strävar efter att bli ännu bättre.

Vi har därför valt att trycka alla våra böcker på FSC-märkt papper. FSC står för Forest Stewardship Council och är en oberoende, internationell organisation som verkar för socialt ansvarstagande genom ett miljöanpassat och ekonomiskt livskraftigt bruk av världens skogar. FSC:s regelverk slår bland annat vakt om hotade djur och växter, om hållbart och långsiktigt bruk av jorden och om säkra och sunda villkor för dem som arbetar i skogen.

För de utsläpp som trots allt inte går att undvika i bokproduktionen klimatkompenserar vi genom Climate Friendly. Vi bidrar härigenom till utbyggnaden av hållbar utvinning av förnybar energi, såsom vindkraft.

Vill du veta mer? Besök **www.manpocket.se/klimatsmartpocket**

FSC

klimatsmart pocket

Månpocket

Jan-Philipp Sendker

KONSTEN ATT HÖRA HJÄRTSLAG

Översättning Lena Torndahl

*Dikten på sidan 239 av T. S. Eliot ur Fyra kvartetter,
översättning Thomas Warburton, Bonniers 1948*

Denna Månpocket är utgiven enligt överenskommelse med
Bokförlaget Forum, Stockholm

Omslag: www.designstudioe.com
Omslagsbild: Shutterstock

Amerikanska originalets titel: The art of hearing heartbeats
Copyright © 2013 Jan-Philipp Sendker
Originally published in German by Karl Blessing Verlag in 2012
Translation copyright © 2014 Kevin Wiliarty

Tryckt hos ScandBook AB, Falun 2015

ISBN 978-91-7503-395-2

Till Anna, Florentine och Jonathan
Och till minne av Vivian Wong (1969–2000)

Första delen

Kapitel 1

Det första som slog mig var den gamle mannens blick. Ögonen var djupt liggande och det verkade som om han inte kunde slita blicken från mig. Visserligen stirrade alla på tehuset rätt ogenerat på mig, men han var fräckast. Som om jag vore någon sorts exotisk varelse som han aldrig tidigare hade stött på.

Jag försökte ignorera honom och såg mig omkring i tehuset, ett enkelt träskjul med några bord och stolar som stod direkt på det torra, dammiga jordgolvet. Vid bortre väggen fanns en glasdisk med bakelser och riskakor som var täckta av flugor. Bredvid disken stod en sotig kastrull med kokande tevatten på en gasbrännare. I ett hörn fanns orangefärgade läskflaskor staplade i trälådor. Jag hade aldrig sett maken till uselt kyffe. Det var stekhett. Svetten rann nedför tinningen och halsen. Jeansen klibbade mot huden. Jag satt där och försökte ta mig samman och orientera mig. Plötsligt reste sig den gamle mannen och gick fram till mig.

"Jag ber tusen gånger om ursäkt för att jag omgående tar kontakt", sa han och satte sig vid mitt bord. "Jag är medveten om att det är oartigt, särskilt med tanke på att vi inte känner varandra – du känner i alla fall inte mig, inte ens flyktigt. Mitt namn är U Ba och jag har redan hört en hel del om dig, men jag medger att det inte på något vis ursäktar mitt framfusiga beteende. Förmodligen tycker du att det känns obehagligt att bli tilltalad av en främmande man på ett tehus i en främmande stad i ett främmande land. Jag förstår mycket väl din situation men jag vill så gärna – eller ska jag gå rakt på sak och säga att jag måste – fråga dig om något. Jag har väntat så länge på att få möjlighet till detta att jag inte bara kan sitta här och betrakta dig under tystnad när du nu äntligen är här.

Jag har noga räknat väntat i fyra år och jag har ägnat många eftermiddagar åt att vanka av och an där ute på den dammiga landsvägen där bussarna stannar och släpper av de fåtaliga turister som råkar förirra sig till vår stad. Vid de sällsynta tillfällen då ett plan från huvudstaden landade här på vår lilla flygplats åkte jag ibland dit när jag hade möjlighet och stod där och väntade förgäves på dig.

Du tog då god tid på dig.

Det var inte menat som en förebråelse, nu ska du inte missförstå mig. Men jag är gammal och jag vet inte hur många år jag har kvar. Invånarna här i landet åldras snabbt och dör unga. Jag har inte långt kvar och jag måste hinna med att berätta en historia, en som är avsedd för dig.

Du ler. Du tror väl att jag har förlorat förståndet, att jag är lite konstig eller åtminstone ganska excentrisk? Det har du all rätt att tycka. Men jag ber dig, avvisa mig inte! Låt dig inte vilseledas av mitt yttre.

Din blick säger mig att du håller på att tappa tåla-
modet med mig. Ha överseende, är du snäll. Du har
inte någon som väntar på dig, eller hur? Du kom hit på
egen hand, precis som jag trodde. Offra några minuter
på mig. Sitt kvar här ett tag hos mig, Julia.

Blev du förvånad? Dina vackra bruna ögon blir allt
större och för första gången ser du rakt på mig. Du blev
säkert alldeles omtumlad. Du frågar förstås dig själv
hur i hela världen jag kan veta vad du heter trots att vi
aldrig har setts tidigare och det är första gången som
du är på besök här i landet. Du undrar om jag har sett
en adresslapp med ditt namn någonstans, på din jacka
eller på din lilla ryggsäck. Svaret är nej. Jag vet vad du
heter och när du är född, både datum och klockslag.
Jag vet allt om lilla Jule som älskade när hennes far
berättade sagor för henne. Jag kan till och med säga vad
älsklingssagan hette, nämligen 'Berättelsen om prinsen,
prinsessan och krokodilen'.

Julia Win. Född den tjugoåttonde augusti 1968 i New
York. Amerikansk mamma och burmesisk pappa. Ditt
efternamn är en del av berättelsen, det har varit en del
av mitt liv sedan jag kom till världen. Under de senaste
fyra åren har det inte gått en dag utan att jag har tänkt
på dig. Jag ska berätta allt i sinom tid, men låt mig först
ställa en fråga: Tror du på kärleken?

Du skrattar. Så vacker du är! Jag menar allvar. Tror
du på kärleken, Julia?

Jag syftar naturligtvis inte på sådana där anfall av
passion som får oss att säga och göra en massa som vi
sedan ångrar, som förleder oss att tro att vi inte kan leva
utan en viss person, som får oss att darra av ängslan vid

blotta tanken på att vi kanske kommer att förlora den personen – en känsla som i stället för att berika utarmar oss eftersom vi längtar efter att äga det vi inte kan få och hålla fast vid det som vi inte klarar av.

Nej, jag talar om en kärlek som får den blinde att bli seende, en kärlek som är starkare än fruktan. Jag talar om en kärlek som ger livet mening, som trotsar naturlagarna om nedgång och fall, en kärlek som får oss att blomstra, en kärlek som inte vet av några begränsningar. Jag talar om andens seger över egennytta och död.

Du skakar på huvudet. Du tror inte på sådant. Du begriper inte vad jag pratar om. Det förvånar mig inte. Vänta bara! Du kommer att förstå vad jag menar när jag väl har berättat den historia som jag för din skull har bevarat i mitt hjärta under de senaste fyra åren. Det enda jag behöver är en smula tålamod från din sida. Timmen är sen och du är säkert trött efter den långa resan. Om du vill kan vi ses i morgon vid samma tid vid det här bordet i tehuset. Här träffade jag förresten din far. Faktum är att han satt där du nu sitter och han berättade och jag satt precis här och kände mig häpen, misstrogen (det ska erkännas), ja, rentav förvirrad. Jag hade aldrig hört någon berätta på det viset. Kan ord få vingar? Kan de fladdra som fjärilar i luften? Kan de tjusa oss, kan de föra oss till en annan värld? Kan de öppna dörren till själens hemliga skrymslen? Jag vet inte om enbart ord kan åstadkomma allt detta, Julia, men den dagen hade din far en stämma som man nog bara får lyssna till en gång i livet.

Trots att han talade med låg röst rördes varenda människa här i tehuset till tårar vid blotta ljudet. Meningarna formades snart till en berättelse om ett liv i all dess styrka och härlighet. Det som jag fick höra den dagen gjorde mig lika stark i tron som din far.

'Jag är inte religiös och kärleken är den enda kraft som jag uppriktigt tror på, U Ba.' Så föll din fars ord."

U Ba reste sig. Han lyfte händerna i brösthöjd, förde samman handflatorna, bugade och lämnade tehuset med snabba, lätta steg.

Jag följde honom med blicken tills han försvann i folkvimlet på gatan.

"Nej!" ville jag ropa efter honom. Om jag trodde på kärleken? Vilken fråga! Som om kärleken vore en religion som man kunde vara anhängare av och tro på eller ej. Nej, fruktan är den starkaste kraft som finns. Det finns ingen seger över döden. Nej.

Jag satt hopsjunken på den låga stolen och tyckte att jag fortfarande kunde höra hans röst. Den var lugn och melodiös, och påminde en smula om pappas.

Sitt kvar här ett tag hos mig, Julia, Julia, Julia ...

Tror du på kärleken, kärleken ...

Din fars ord, din fars ...

Huvudet värkte och jag kände mig alldeles slut. Det kändes som om jag hade vaknat ur en otäck mardröm. Flugor surrade runt mig och satte sig i håret, på pannan och på händerna. Jag orkade inte vifta undan dem. Framför mig stod ett fat med tre torra kakor. Bordsytan var täckt av ett lager klibbigt brunt socker.

Jag tog en klunk te. Det var kallt och händerna skakade. Varför hade jag lyssnat så länge på den där främmande gamle mannen? Jag kunde ha bett U Ba att vara tyst. Jag kunde ha gått därifrån. Men någonting hade hållit mig kvar. Just som jag hade tänkt resa mig och gå hade han sagt "Julia, Julia Win". Aldrig hade jag kunnat föreställa mig att jag skulle bli så upprörd över att höra någon säga mitt fullständiga namn. Hur kunde han veta det? Kände han verkligen pappa? När hade U Ba sett honom senast? Kunde det vara så att han visste om pappa fortfarande var i livet? Visste han var pappa gömde sig?

Kapitel 2

Kyparen ville inte ha mina pengar.

"U Bas vänner är våra gäster", sa han och bugade.

Trots det tog jag fram en kyatsedel ur byxfickan. Den var trasig och smutsig. Med äcklad min stack jag in sedeln under tallriken. Kyparen dukade av men låtsades inte se pengarna. Jag pekade på sedeln. Han log.

Var summan för liten? Var sedeln alltför smutsig? Jag lade en större och renare sedel på bordet. Han bugade, log åter och lät även den sedeln ligga kvar orörd.

Utomhus hade det blivit ännu varmare än förut. Hettan paralyserade mig. Jag ställde mig utanför tehuset men kunde inte förmå mig till att ta ett enda steg. Solen brände mot huden och det bländande ljuset sved i ögonen. Jag satte på mig en basebollkeps och drog ner skärmen över ögonen.

Trots att det var fullt av folk på gatan var det märkligt tyst. Knappt några motorfordon syntes till. Människorna cyklade eller gick till fots. Tre hästdragna kärror och en oxkärra stod parkerade vid en gatukorsning. De fåtaliga bilar som for förbi var rostiga och buckliga gamla japanska pickuper, fullproppade med säckar och flätade korgar och unga män på flaket som höll sig fast för glatta livet.

Gatan var kantad av affärer i låga träskjul med tak av korrugerad plåt där försäljarna sålde allt möjligt, från ris, jordnötter, mjöl och schampo till Coca-Cola och öl. Det fanns inte någon given ordning, inte vad jag kunde se i alla fall.

Vart och vartannat skjul verkade bestå av tehus där ägarna satt hopkrupna på små träpallar utanför sina etablissemang. De hade virat röda och gröna handdukar runt huvudet. I stället för byxor hade männen på sig något som såg ut som omlottkjolar.

Framför mig stod ett par kvinnor som hade smetat gul färg på pannan, näsan och kinderna. De rökte långa mörkgröna cigariller. Alla var slanka utan att verka taniga och de rörde sig med den lätthet och elegans som jag alltid hade beundrat hos pappa.

Och som de stirrade på mig! De såg mig rakt i ögonen och log. Jag förstod mig inte på dessa leenden. Tänk, så hotfullt ett litet leende kan verka!

Andra nickade och hälsade på mig. Vad nu, kände de mig? Hade allesammans, precis som U Ba, väntat på att jag skulle komma hit? Jag försökte låta bli att se på dem. Jag gick så fort som möjligt huvudgatan fram och såg rakt framåt med fjärrskådande blick.

Jag längtade hem till New York, jag saknade trafiken och allt larm och buller. Jag saknade de slutna ansiktena hos fotgängarna som inte ägnade varandra något intresse. Jag längtade hem där jag visste hur jag skulle uppföra mig och bete mig.

Hundra meter längre bort låg ett vägskäl. Jag hade glömt var mitt hotell var beläget. Allt jag såg var enorma buskage med bougainvillea, de var till och med högre än de skjul som doldes under den yppiga grönskan. Vart jag än vände blicken såg allting främmande och olycksbådande ut: de förbrända ängarna, de dammiga trottoarerna och groparna i marken som var stora som basketbollar.

"Miss Win, miss Win", ropade någon.

Jag vågade knappt vända mig om, men kastade en blick över axeln. Där stod en ung man som påminde mig om piccolon på hotellet. Eller bäraren på flygplatsen i Rangoon. Eller taxichauffören. Eller kanske kyparen på tehuset.

"Letar ni efter något, miss Win? Kan jag hjälpa till?"

"Nej tack", sa jag först, eftersom jag inte ville bli beroende av den här främmande människan. "Jo ... mitt hotell", sa jag, för jag längtade så efter ett gömställe, om så bara det hotellrum som jag hade bokat in mig på i morse.

"Gå uppför backen här och sedan till höger. Det tar bara fem minuter dit", sa han.

"Tack."

"Hoppas att ni trivs här i vår stad. Välkommen till Kalaw", sa han och stod leende kvar medan jag vände på klacken och gick tillbaka samma väg som jag kommit.

När jag kom tillbaka till hotellet gick jag tyst och snabbt förbi den leende portieren, klev uppför den stora trätrappan till andra våningen, gick in på mitt rum och sjönk ner på sängkanten.

Resan från New York till Rangoon hade tagit drygt tre dygn. Därefter hade jag tillbringat en hel natt och en halv dag i en skraltig buss, fullproppad med människor som luktade illa och var klädda i smutsiga kjolar, trådslitna t-tröjor och medfarna plastsandaler. De hade med sig kycklingar och skrikande griskultingar på denna tjugofyratimmarsfärd på vägar som föga påminde om gator utan snarare liknade torra flodbäddar. Så mycket besvär bara för att ta sig från huvudstaden till denna avlägsna lilla bergsby!

Jag måste ha sovit ett tag. Solen försvann och det blev kväll. Skymningen sänkte sig över rummet. Resväskan låg oöppnad på den andra sängen. Jag såg mig omkring, blicken vandrade av och an som om jag måste påminna mig själv om var jag befann mig. En gammal träfläkt hängde i taket högt ovanför mig. Rummet var stort och den spartanska möbleringen gav det en klosterlik prägel. Vid dörren fanns ett enkelt skåp, vid fönstret stod ett bord och en stol och mellan sängarna ett litet nattduksbord. De släta, vitkalkade väggarna pryddes varken av tavlor eller speglar. Plankorna i det gamla trägolvet var lena efter många års nötning. Den enda lyxen var ett litet kylskåp av koreanskt märke. Det fungerade inte. En sval kvällsbris svepte in genom de öppna fönstren.

Så här i skymningen och på några timmars avstånd tyckte jag att mötet med U Ba kändes ännu mer absurt och besynnerligt än det hade gjort i dagsljus. Jag hade bara ett vagt och suddigt minne av händelsen. Spöklika bilder gled förbi i tankarna, bilder utan mening, bilder som jag inte kunde tolka. Jag försökte minnas. Han hade haft på sig en vit skjorta som hade gulnat av ålder, plastsandaler och en grön longyi, alltså ett cylinderformat, flera meter långt tygstycke virat om kroppen som en lång kjol. Det tjocka vita håret var stubbat. Ansiktet var rynkigt. Det var omöjligt att gissa hans ålder. Sextio, kanske sjuttio? Ett leende lekte på läpparna, men jag kunde inte tyda det. Var det hånfullt, gäckande eller medlidsamt? Vad ville han ha av mig?

Pengar, förstås. Vad annars? Han hade inte bett om det, men hans yttre var bevis nog. Jag begrep vad han var ute efter. Han kunde ha fått reda på mitt namn på hotellet. Han var förmodligen i maskopi med de anställda i receptionen. En förbrytare som ville väcka min nyfikenhet och göra intryck på mig för att sedan erbjuda sina tjänster som spåman. Nej, nej – som astrolog. Det där gick jag inte på. Han slösade bara bort sin tid.

Hade han sagt något som tydde på att han verkligen hade varit bekant med pappa? Enligt honom hade pappa sagt: "Jag är inte religiös och kärleken är den enda kraft som jag uppriktigt tror på, U Ba." Pappa skulle aldrig ha tänkt tanken och än mindre ha sagt de orden högt och absolut inte till en främmande människa. Eller lurade jag bara mig själv? Var det inte snarare förmätet av mig att tro att jag visste vad pappa tänkte och tyckte? Hur väl hade jag känt honom när det kom till kritan? Skulle den far som jag hade trott mig känna ha försvunnit helt oväntat utan att lämna minsta spår efter sig? Skulle han ha övergett hustru och barn utan förklaring, utan att skicka ett brev åtminstone?

Enligt polisen upphörde alla spår i Bangkok. Han kunde ju ha blivit rånmördad i Thailand.

Eller hade han råkat ut för en olycka i Siamviken? Hade han velat njuta av ett par veckors lugn och ro för en gångs skull? Han kanske for till kusten och drunknade när han tog en simtur. Det är den version som gäller i vår familj, åtminstone rent officiellt.

Mordkommissionen trodde att pappa levde dubbelliv. De vägrade tro på mammas försäkringar att hon inte visste något om hans första tjugo år i livet. De ansåg att hennes påstående var så befängt att de till en början misstänkte att hon hade haft del i försvinnandet, antingen som medbrottsling eller som förövare. Först när det stod klart att det inte rörde sig om några livförsäkringar på stora belopp och att ingen skulle tjäna ekonomiskt på pappas förmodade död skingrades deras misstankar. Mysteriet med pappas första tjugo levnadsår kunde mycket väl ha haft att göra med hans livsstil och någon sida i hans karaktär, en sida som vi i familjen aldrig hade sett.

Kapitel 3

Mitt sista minne av pappa är redan fyra år gammalt. Det var morgonen efter att jag hade blivit klar med utbildningen till jurist. Vi hade firat min examen kvällen innan och jag ville inte åka hem på natten. Av någon anledning ville jag börja dagen med barndomens välkända ritualer och få känna den tryggheten. Bara en gång till.

Kanske hade jag mina onda aningar.

Pappa väckte mig tidigt. Han stod vid fotänden av sängen i en brun hatt och sin gammalmodiga grå överrock. När jag var liten brukade jag titta efter honom då han gav sig av till arbetet i den munderingen. På morgnarna stod jag i fönstret och vinkade adjö och ibland grät jag eftersom jag inte ville att han skulle gå. Många år senare, då pappa hade en chaufför som väntade på honom och han bara behövde ta tre steg över trottoaren och kliva in i limousinen, klädde han sig fortfarande i rock och hatt. Under denna långa tid ändrade han aldrig klädstil utan köpte bara nya rockar och hattar med regelbundna mellanrum. Hattarna var utan undantag av märket Borsalino. Han ägde sex hattar: två svarta, två bruna och två marinblå. När han inte längre kunde få tag i sådana överrockar som han ville ha ens hos de mest konservativa herrekiperingarna i New York lät han skräddarsy dem.

Borsalinon var pappas talisman. Han hade köpt en sådan italiensk hatt när han skulle på sitt livs första anställningsintervju. Han fick jobbet. På den tiden var hatten ett synligt tecken på hans goda smak och stil. Men under årens lopp hade hatten fått honom att se gammaldags ut och så småningom excentrisk och till slut såg han ut som en statist i en femtiotalsfilm. Som tonåring skämdes jag över pappas val av kläder. Han såg så omodern ut och han brukade buga när han hälsade på mina kamraters mammor. De andra barnen fnissade när han hämtade mig utanför skolan. Han satte aldrig på sig gympaskor, jeans eller collegetröja. Han föraktade den lediga amerikanska klädstilen som han ansåg vädjade till människans lägre instinkter och längtan efter bekvämlighet.

Pappa stod vid sängen och viskade mitt namn. Han sa att han skulle på ett möte i Boston och att han inte riktigt visste när han skulle komma hem. Det skulle nog ta ett par dagar, vilket lät konstigt eftersom de inbokade mötena i hans kalender brukade ticka på lika oklanderligt som ett urverk. Han flög för övrigt ständigt och jämt till Boston utan att någonsin stanna där över natten. Men av någon anledning var jag alldeles för trött för att lägga märke till detta. Han kysste mig på pannan och sa; "Jag älskar dig, lilla stumpan. Glöm aldrig det."

"Jag älskar dig också", sa jag och nickade sömnigt.

Jag vände mig på sidan, borrade in näsan i kudden och somnade om. Det var sista gången som jag såg pappa.

Första tecknet på att allt inte stod rätt till kom strax efter klockan tio samma förmiddag. Jag hade försovit mig och klev in i köket. Mamma väntade på mig så att vi kunde äta frukost tillsammans. Hon satt på den inglasade balkongen med en kopp kaffe bredvid sig och bläddrade i Vogue. Vi hade fortfarande morgonrock på oss bägge två. På bordet stod ett fat med varma kanel-kryddade frukostbröd och nybakade bagels. Jag slog mig ner på min vanliga plats med ryggen mot väggen, fötterna på stolskanten och armarna runt knäna. Jag drack apelsinjuice och berättade för mamma om mina sommarplaner. Då ringde det. Susan, pappas sekrete-rare, undrade om pappa hade blivit sjuk. Den person som han skulle träffa klockan tio – och det var minsann inte vem som helst – undrade var han befann sig. Ingen hade sagt ett ord om Boston.

Mamma och Susan kom fram till att det med kort var-sel måste ha dykt upp någonting. Pappa hade inte haft möjlighet att ringa, satt fast i möte för ögonblicket, men skulle säkert höra av sig inom de närmaste timmarna.

Mamma och jag avslutade frukosten. Jag kände mig lite orolig men hon var så lugn att jag slog bort mina ängsliga tankar. Efter frukosten gick vi till en salong och fick ansiktsbehandling och sedan strosade vi genom Central Park till Bergdorf Goodman. Det var en av dessa varma försommardagar då New York skimrar av nyut-sprucken grönska. Det luktade nyklippt gräs i parken, folk låg och solade i det stora naturreservatet Sheep Meadow och några småpojkar hade tagit av sig skjortan och kastade frisbee. Två äldre herrar åkte rullskridskor hand i hand framför oss.

Mamma skyndade på mig. När vi kom in på varuhuset köpte hon en gulblommig sommarklänning åt mig och sedan gick vi, precis som jag hade kunnat räkna ut i förväg, och drack te på Plaza.

Jag var inte särskilt förtjust i det hotellet. Den fejkade stilen i fransk renässans var alltför kitschig och svulstig i min smak, men jag hade för länge sedan insett hur fåfängt det var att försöka få mamma att dricka te någon annanstans. Hon älskade lobbyn med de förgyllda gipsfriserna på väggarna och i det höga taket och de utsmyckade pelarna, som såg ut som pudersocker. Hon njöt ohämmat av kyparens insmickrande sätt och den franske hovmästarens hälsning ("Bonjour, madame Win"). Vi satt mellan två palmer vid en liten buffé bestående av kakor, sötsaker och glass. Två violinister gick omkring i lokalen och spelade wienervalser. Mamma beställde blinier med kaviar och två glas champagne.

"Är det något som ska firas?" frågade jag.

"Din examen, raring."

Vi smakade på blinierna. De var för salta och champagnen var för varm. Mamma vinkade till sig kyparen.

"Strunta i det, mamma", bad jag. "Allt är bra."

"Inte direkt", sa hon milt, som om jag inte visste något om sådant.

Hon skällde ut kyparen och han bad tusen gånger om ursäkt och tog med sig det som vi hade beställt. Hon kunde låta så kall och vass. En gång i tiden hade jag fruktat den rösten. Numera tyckte jag bara att det var obehagligt.

Mamma såg på mig. "Du skulle ha ätit upp dem, eller hur?"

Jag nickade.

"Det skulle din far också ha gjort. Ni är lika varandra på många sätt."

"Hur menar du?" sa jag. Det hade inte låtit som en komplimang.

"Handlar det om undergivenhet, passivitet eller konflikträdsla?" frågade hon. "Eller är det arrogans?"

"Vad har arrogans med det hela att göra?"

"Ingen av er är villig att ta itu med kypare", sa hon. Jag förstod inte varför hennes röst glödde av vrede. Den hade inget samband med den ljumma champagnen eller de salta blinierna. "De är inte värda besväret. Det kallar jag arrogans."

"Men det handlar bara om att sådant inte betyder särskilt mycket för mig", sa jag.

Det var en sanning med modifikation. Jag tyckte att det var pinsamt att klaga på något, vare sig det var på en restaurang, ett hotell eller i en affär. Ändå hade sådant större betydelse för mig än jag lät påskina. Jag grämde mig efteråt och blev förargad på mig själv över att jag hade varit så lättmanipulerad och eftergiven. Det var en helt annan sak med pappa. När han höll tyst i sådana situationer var det uppriktigt menat. Han brydde sig inte ett dugg om sådant. Om någon trängde sig före i kön log han bara. Han räknade aldrig växelpengarna. Mamma räknade varenda cent. Jag avundades hans lugn. Mamma förstod sig inte på honom. Hon var sträng både mot sig själv och andra – pappa var bara sträng mot sig själv.

"Hur kommer det sig att det inte spelar dig någon roll om du får det som du har betalt för eller ej? Jag begriper det inte."

"Kan vi inte strunta i det?" sa jag. Det lät mer som en bön än en order. "Är du inte orolig för pappa?"

"Nej. Borde jag vara det?"

Vid närmare eftertanke undrar jag om mammas jämnmod inte var spelat. Ingen av oss sa ett ord om att pappa inte hade kommit till det avtalade mötet. Hon ringde inte till kontoret för att kontrollera om han hade hört av sig. Varför var hon så säker på att han inte hade råkat illa ut? Struntade hon i det? Eller hade hon i åratal anat att det skulle bli så här så småningom? Hennes uppenbara sorglöshet den dagen hade en viss anstrykning av den lättnad, ja, rentav glädje, som en människa kan känna när en sedan länge förutsedd och oundviklig katastrof till slut inträffar.

"Inflytelserik Wall Street-advokat spårlöst försvunnen" rapporterade *New York Times* några dagar efter pappas försvinnande. Under de närmast följande dagarna fylldes tidningarna av spekulationer. Var det mord, var en klient ute efter hämnd? Var det en dramatisk kidnappning? Hade försvinnandet med Hollywood att göra? De avslöjanden som polisen kom med under de första två veckorna fick bara fallet att verka ännu mer mystiskt. Pappa hade verkligen kört till Kennedy Airport tidigt på morgonen samma dag som han försvann, men i stället för att flyga till Boston hade han åkt till Los Angeles. Han hade köpt biljetten på flygplatsen och han hade inte checkat in något bagage. Han flög första klass från Los Angeles till Hongkong med United Airlines flight 888. En flygvärdinna kom ihåg pappa därför att han inte drack någon champagne och inte läste tidningar utan en diktsamling av Pablo Neruda. Flygvärdinnan beskrev pappa som mycket lugn och utomordentligt artig. Han åt inte mycket, sov knappt något alls och tittade inte på film utan ägnade större delen av tiden åt att läsa.

Sedan bodde pappa tydligen en natt på hotell Peninsula i Hongkong, där han beställde mineralvatten och kyckling med curry från rumservice och enligt personalen lämnade han inte rummet på hela tiden. Dagen därpå gick pappa ombord på Cathay Pacific flight 615 till Bangkok och väl där bodde han en natt på hotell Mandarin Oriental. Han försökte inte sopa igen spåren efter sig. Han bodde på samma hotell som han alltid brukade bo på vid sina affärsresor och han betalade alla räkningar med kreditkort, som om han visste att det här skulle bli slutet på resan, åtminstone för utredarna. Fyra veckor senare hittade en byggnadsarbetare pappas pass i närheten av Bangkoks flygplats.

Vissa omständigheter tydde på att han aldrig lämnade Thailand. Polisen gick igenom passagerarlistorna på flygen från Bangkok. Pappas namn fanns inte med någonstans. Då och då kom kriminalarna med spekulationer om att pappa hade skaffat ett falskt pass i Thailand och sedan tagit flyget någonstans under fingerat namn. Flera flygvärdinnor på Thai Airways påstod att de hade sett pappa. Den ena på en flygtur till London, en annan ombord på ett flyg till Paris och en tredje på ett plan till Phnom Penh. Ingen av dessa ledtrådar gav något resultat.

Enligt immigrationsmyndigheterna kom pappa 1942 på ett studentvisum från Burma till USA. Han läste juridik i New York och blev amerikansk medborgare 1959.

Han uppgav att han var född i Rangoon, huvudstaden i den forna brittiska kolonin. De efterforskningar som FBI och den amerikanska ambassaden i Rangoon gjorde ledde ingenstans. Win är ett vanligt efternamn i Burma och ingen verkade känna till något om pappas släkt.

Kapitel 4

Det måste finnas en avgörande vändpunkt i livet när den värld som man känner till upphör att existera. Ett ögonblick som förvandlar en till en helt annan person från ett hjärtslag till nästa. Det ögonblick när ens älskade erkänner att han har en annan och att han tänker lämna en. Eller den dag då man begraver sin mor eller sin far eller bästa vän. Eller den stund då doktorn meddelar att man har fått en elakartad hjärntumör.

Eller är ögonblick som dessa endast de dramatiska följderna av långtgående processer som vi borde ha kunnat förutse om vi hade tolkat tecknen rätt i stället för att strunta i dem?

Om dessa vändpunkter är verkliga kan man fråga sig om vi är medvetna om dem i den stund de inträffar eller om vi först senare lägger märke till den bristande kontinuiteten? Då är det så dags att vara efterklok.

Sådana frågor hade jag aldrig tidigare varit intresserad av och jag hade inga svar på dem. Pappas försvinnande hade i alla fall inget med detta att göra. Jag älskade pappa, jag saknade honom, men mitt liv under de senaste fyra åren skulle inte ha blivit annorlunda och inga viktiga beslut skulle ha ändrats om han hade funnits kvar i familjen. Det var åtminstone vad jag trodde.

När jag för en vecka sedan kom hem från kontoret strax efter åtta och just hade klivit in i hissen ropade dörrvakten på mig. Det ösregnade. Mina skor var genomblöta. Jag frös och ville bara komma in i lägenheten och stänga dörren om mig.

"Vad är det?" sa jag otåligt.

"Ett paket", sa han.

Jag kastade en blick på gatan genom de stora fönstren i entrén. De röda baklyktorna på bilarna speglade sig i den våta asfalten. Jag längtade efter en varm dusch och en kopp te. Dörrvakten gav mig en påse med ett brunt paket, stort som en skokartong. Jag tog påsen under armen och for upp med hissen till min etta på trettiofemte våningen. Pappa hade köpt den åt mig redan innan jag blev klar med studierna i juridik.

Jag kontrollerade telefonsvararen: två meddelanden. På bordet låg en hög med räkningar och reklam. Det luktade fortfarande rengöringsmedel och därför öppnade jag balkongdörren. Det regnade alltjämt och molnen hängde så lågt att jag knappt såg stranden på andra sidan East River. Långt där nere ringlade bilköerna på Second Avenue och Queensboro Bridge.

När jag hade duschat tog jag upp paketet ur påsen. Jag kände genast igen mammas handstil. Då och då skickade hon gratulationskort till mig och tidningsurklipp som hon trodde att jag skulle – eller åtminstone borde – vara intresserad av. Mamma föraktade telefonsvarare och det där var hennes sätt att kommunicera. Men det var länge sedan hon hade skickat något paket till mig. Inuti paketet låg en bunt gamla fotografier, dokument och papper som var pappas och en lapp med några rader från mamma där det stod:

Julia!
Jag fick syn på den här lådan när jag städade på vinden. Den hade ramlat ner bakom den gamla kinesiska byrån. Du är kanske intresserad av de här sakerna. Jag stoppade dit den sista bilden på oss fyra. Jag behöver inte något av det här längre. Ring mig.
Hälsningar Judith

Jag lade den lilla bunten med bilder på bordet. Högst upp låg familjeporträttet som togs på min examensdag. Jag ler förtjust och står arm i arm med mamma och pappa. Min bror står bakom mig med händerna på mina axlar. Mamma ler stolt in i kameran. Pappa ler brett han också. Den perfekta lyckliga familjen. Tänk vad bilder kan ljuga! Ingenting lät ana att det här skulle bli den sista bilden på oss allihop tillsammans eller, vilket är ännu värre, att en av oss sedan länge hade planerat sitt försvinnande. Mamma hade skickat med två utgångna pass, pappas intyg på att han hade blivit amerikansk medborgare och ett par gamla almanackor, proppfulla med anteckningar gjorda med mikroskopiskt liten handstil. Boston. Washington. Los Angeles. Miami. London. Hongkong. Paris. Vissa år for pappa jorden runt flera gånger. Han hade arbetat sig upp och blivit en av de åtta delägarna i företaget och som advokat hade han redan på ett tidigt stadium specialiserat sig på underhållningsbranschen. Han gav råd till ägarna av filmstudiorna i Hollywood när det gällde filmkontrakt, företagsuppköp och fusioner. Några av de största stjärnorna var hans klienter.

Jag förstod aldrig riktigt hur det kunde komma sig att pappa hade sådan framgång i yrkeslivet. Han arbetade mycket men visade inte några tecken på ärelystnad för egen del. Han var inte fåfäng och han försökte aldrig dra fördel av att hans klienter var kända och berömda. Hans namn förekom aldrig i skvallerspalterna. Han gick aldrig på fester, inte ens på de flotta välgörenhetsbaler som mamma och hennes goda vänner ordnade. Behovet att passa in någonstans, som är så typiskt för invandrare, verkade vara honom fullständigt främmande. Han var en ensamvarg och motsatsen till hur de flesta föreställer sig att en kändisadvokat ska vara. Det var kanske just den egenskapen som ingav trygghet och gjorde honom till en så eftertraktad förhandlare: hans lugn och sans, anspråkslösa sätt och tankspridda och på något vis oskuldsfulla utstrålning. Men han hade även andra sidor, vilket ibland gjorde hans affärsbekanta och fåtaliga vänner illa till mods. Han hade till exempel alldeles för gott minne och han var skrämmande skicklig på att bedöma folks karaktär. För honom räckte det med en flyktig blick för att memorera nästan vad som helst. Han kunde ordagrant citera PM och brev som var flera år gamla. När pappa började samtala med någon brukade han blunda och koncentrera sig på den andra personens röst som om han försjönk i en sång, och sedan verkade han veta exakt i vilket sinnestillstånd motparten befann sig, hur pass självsäker han var och om han bluffade eller talade sanning. Antagligen var detta en förmåga som man kunde tillägna sig, men vem som hade lärt honom den och när och var detta hade skett ville han inte berätta, hur mycket jag än bönade och bad. Inte en enda gång hade jag lyckats föra honom bakom ljuset.

Den äldsta kalendern som låg i lådan var från 1960. Jag bläddrade igenom den men där fanns bara anteckningar om affärsmöten, för mig obekanta namn, samt platser och tider. Mitt i stod några ord, skrivna med pappas handstil:

Hur länge lever människan egentligen?
Lever hon tusen år eller ett enda?
Lever hon en vecka eller flera sekler?
Hur länge är människan död?
Vad betyder för alltid?
PABLO NERUDA

Längst bak i kalendern låg ett tunt blått flygpostkuvert, prydligt vikt till en liten rektangel. Jag tog upp det och vecklade ut det. Det var adresserat till:

Mi Mi
38 Circular Road
Kalaw, Shan State
Burma

Jag tvekade. Var det här anspråkslösa blå flygpostpapperet nyckeln till pappas gåtfulla hemligheter? Jag tog med mig brevet och gick fram till kaminen. Jag kunde ju bränna det. Eldslågorna skulle på några sekunder förvandla det tunna papperet till aska. Jag satte på kaminen, hörde hur gasen väste och hur den automatiska tändningen slog till, jag såg lågan. Jag höll kuvertet tätt intill elden. Det behövdes bara en liten rörelse så skulle familjen få frid. Jag minns inte hur länge jag stod framför kaminen, men jag minns att jag plötsligt började gråta. Tårarna strömmade nedför kinderna. Jag förstod inte varför jag grät, men tårarna rann allt snabbare och rikligare och med ens låg jag i sängen och snyftade och storgrät som ett litet barn.

När jag vaknade stod klockan på nattduksbordet på tjugo över fem. Jag kände mig fortfarande sorgsen ända in i själen. Jag tog några andetag och för ett ögonblick kom jag inte på varför jag var så ledsen utan hoppades att allt hade varit en ond dröm. Sedan satte jag mig vid bordet och vecklade försiktigt upp brevet som om det skulle kunna brista som en såpbubbla i mina händer.

24 april 1955
New York

Älskade Mi Mi!

Nu är det femtusenåttahundrasextiofyra dagar sedan jag hörde ditt hjärta slå. Inser du hur många timmar det är? Och inser du hur många minuter det är? Förstår du hur kraftlös en fågel är som inte kan sjunga och en blomma som inte kan blomstra? Och hur eländig en fisk är på torra land?

Det är svårt att skriva till dig, Mi Mi. Jag har skrivit mängder av brev till dig som jag aldrig har postat. Vad skulle jag kunna berätta för dig som du inte redan vet? Som om vi behöver papper och bläck och bokstäver och ord för att kommunicera med varandra! Du har varit med mig under alla dessa etthundrafyrtiotusensjuhundratrettiosex timmar – ja, det har redan blivit så många – och du kommer att vara med mig tills vi möts igen. (Du får ursäkta att jag för en gångs skull konstaterar någonting så självklart.) När tiden är inne kommer jag tillbaka. Tänk att de vackraste ord kan låta så tomma och platta! Livet måste vara bra trist och enahanda för dem som måste tala med och röra vid och se och höra varandra för att känna samhörighet och som måste bevisa och bekräfta sin kärlek för att bli säkra på att de är älskade. Jag har på känn att inte heller dessa rader kommer att nå dig. Du har för länge sedan förstått allt det som jag skulle kunna skriva och i själva verket är de här breven riktade till mig själv i ett fåfängt försök att stilla min längtan.

Jag läste om brevet både två och tre gånger och sedan vek jag ihop det och stoppade in det i kuvertet. Jag tittade på klockan. Det var lördagsmorgon och klockan var några minuter över sju. Det hade slutat regna och molnen hade skingrats och nu vaknade Manhattan långsamt under en mörkblå himlakupa. Solen steg upp på andra sidan East River. Dagen skulle bli kall och vacker.

Jag tog fram ett pappersark för att göra några anteckningar, analysera situationen och komma på en handlingsplan, precis som jag skulle ha gjort på kontoret.

Men papperet förblev tomt. Jag hade redan passerat gränsen. Nu fanns det ingen återvändo. Beslutet hade fattats för mig av någon, men av vem kunde jag inte säga.

Jag kunde numret till United Airlines utantill. Nästa plan till Rangoon skulle lyfta på söndagen och resan skulle gå via Hongkong och sedan Bangkok. Jag måste skaffa visum där så att jag kunde fortsätta på onsdag med Thai Air till Burma.

"Och när vill ni flyga hem igen?"

Jag funderade en liten stund.

"Boka inte någon retur."

Sedan ringde jag till mamma.

Kapitel 5

När jag kom hem satt mamma redan och drack kaffe och läste *Times*.

"Jag ska resa bort i morgon." Rösten lät ännu ynkligare än jag hade trott. "Jag ska till Burma."

"Fåna dig inte", sa mamma och fortsatte att läsa tidningen utan att ge mig ens en blick.

Det var med sådana här formuleringar som mamma hade fått tyst på mig under hela livet. Jag tog en klunk mineralvatten och kastade en blick på mamma. Hon hade färgat sitt gråa hår mörkblont och hade klippt det kort igen. Hon såg yngre ut i kort hår men samtidigt strängare. Den vassa näsan hade blivit mer markant med åren. Överläppen hade nästan försvunnit och mungiporna pekade nedåt och gav ansiktet ett bittert drag. De blå ögonen hade förlorat sin glans – när jag var liten hade mamma haft glimten i ögat. Var det åldern eller var det så en oälskad kvinna såg ut – eller i alla fall inte älskad på det vis hon ville och behövde? Hade hon känt till Mi Mi men dolt den vetskapen för sina barn? Hon läppjade på kaffet. Jag kunde inte tolka hennes ansiktsuttryck.

"Hur länge ska du vara borta?"

"Jag vet inte."

"Hur ska det gå med ditt arbete?"

"Jag vet inte."

"Du äventyrar din karriär."

Mamma hade rätt. Jag visste inte vem Mi Mi var, var hon befann sig, vad hon hade betytt för pappa eller om hon ens var i livet. Jag hade ett namn och en gammal adress i en by som jag inte visste riktigt var den låg. Jag är inte den som handlar impulsivt. Jag förlitar mig mer på hjärnan än på instinkterna.

Men ändå …

"Vad väntar du dig att hitta där borta?" undrade mamma.

"Sanningen", sa jag. Det var menat som ett påstående men det lät mer som en fråga.

"Vems sanning? Hans? Eller din? Jag kan ge dig min version av sanningen här och nu i några få meningar. Om det intresserar dig att få höra vad jag anser." Hon lät trött och sliten.

"Jag skulle vilja veta vad pappa har råkat ut för."

"Vad spelar det för roll nu?"

"Han är kanske fortfarande i livet."

"Vad har det för betydelse? Tror du inte att han skulle ha tagit kontakt med oss om han hade velat ha med oss att göra?"

Hon såg att jag blev förbluffad och tillade: "Eller vill du leka detektiv?"

Jag skakade på huvudet och såg på henne.

"Vad vill du veta?"

"Sanningen."

Hon lade långsamt ifrån sig tidningen och såg på mig

en lång stund. "Din far lämnade mig långt före den dag
då han försvann. Han bedrog mig. Inte en eller annan
gång. Han bedrog mig varje timme och varje dag under
de trettiofem år som vi var gifta. Inte med någon älska-
rinna som följde med honom i hemlighet på hans resor
eller som han tillbringade kvällarna med när han enligt
vad han påstod arbetade sent. Jag vet inte om han hade
någon kärleksaffär över huvud taget, men det gör det-
samma. Han gav falska löften. Han lovade att bli min.
Han blev katolik för min skull. Han upprepade prästens
ord under vigseln: 'I nöd och lust.' Han menade inte ett
ord. Hans tro var rena hyckleriet och hans kärlek till
mig var bara bluff. Han blev aldrig min, Julia, inte ens
när vi hade det som bäst."

Hon satt tyst en stund. Sedan fortsatte hon att tala.

"Tror du inte att jag frågade om hans förflutna? Du
inbillar dig väl inte att jag inte brydde mig om vad som
hade hänt honom under hans första tjugo år i livet?
När jag för första gången frågade honom om det, trös-
tade han mig och gav mig den där milda, medkännande
blicken som jag ännu inte hade lärt mig att motstå och
lovade att han en dag skulle berätta allt för mig. Det där
hände innan vi hade gift oss och jag trodde på honom,
jag litade på honom. Så småningom började jag tjata
på honom. Jag grät och klagade och hotade med skils-
mässa. Jag sa till honom att jag tänkte flytta hemifrån
och att jag inte tänkte komma tillbaka förrän han slu-
tade ha hemligheter för mig. Han brukade svara att han
älskade mig, räckte inte det? Hur kan någon ärligt påstå
att han älskar en om han inte är beredd att dela allt med
sin älskade, inklusive sitt förflutna?

När du var nyfödd hittade jag ett gammalt brev i en av hans böcker. Han hade skrivit det strax före vårt giftermål. Det var ett kärleksbrev till en kvinna i Burma. Han ville förklara det för mig, men jag ville inte höra ett ord om det. Nog är det märkligt, Julia, att när ett avslöjande, en bekännelse, kommer i fel ögonblick är den värdelös. Om det sker för tidigt blir man förkrossad. Man är inte redo och kan ännu inte riktigt förstå det hela. Om det sker försent har man försummat tillfället. Misstron och besvikelsen har redan blivit alltför stor. Dörren är redan stängd. I bägge fallen skapar det som skulle gynna förtroligheten enbart avstånd. För min del var det försent. Jag ville inte höra fler lögner. De skulle inte ha fört oss närmare varandra utan bara gjort såren ännu djupare. Jag sa till honom att jag tänkte lämna honom om jag hittade fler brev i samma stil, oberoende av hur gamla de var, och att han aldrig skulle få träffa mig eller barnen igen. Jag hittade inga fler brev trots att jag noggrant gick igenom hans tillhörigheter var fjortonde dag."

Mamma tystnade, drack ett glas vatten och såg på mig. Jag försökte ta henne i handen, men hon drog undan den och skakade på huvudet. Det var försent även för detta.

"Hur skulle jag skydda mig? Hur skulle jag ge igen för det som han gjorde mot mig? Jag beslöt mig för att ha hemligheter jag också. Jag berättade allt mindre för honom och behöll mina tankar och känslor för mig själv. Han frågade aldrig något. Han ansåg att om jag ville berätta något för honom så skulle jag göra det. Och så fortsatte vi att leva i olika världar ända till morgonen då han försvann."

Hon reste sig och hällde upp ännu ett glas vatten, gick omkring ett tag i köket och satte sig sedan igen. Jag sa ingenting.

"Jag var ung, inte ens tjugotvå, när vi träffades. Jag var väldigt naiv. Vi lärde känna varandra på en god väns födelsedagskalas. Jag såg när han kom in genom dörren. Han var lång och mager med fylliga läppar och en mun som alltid tycktes småle. Han såg bra ut och kvinnorna avgudade honom, oberoende av om han blev smickrad eller ej. Han kanske inte ens märkte deras intresse. Mina väninnor skulle gärna ha velat fånga honom. Den stora näsan, den höga pannan och de tunna kinderna fick ansiktet att se asketiskt ut och det tilltalade alla i omgivningen. De svartbågade runda glasögonen framhävde hans vackra ögon. Han rörde sig så smidigt och rösten och minspelet ägde en viss grace. Hans utstrålning gjorde till och med intryck på mina föräldrar. Han skulle ha varit den perfekte svärsonen i deras ögon – bildad och begåvad med fulländade maner och självsäker utan minsta spår av arrogans – om han bara hade varit vit. Inte ens på dödsbädden förlät de mig för att jag hade gift mig med 'en färgad'. Det var första och sista gången som jag satte mig upp mot dem.

Som du vet är jag inte sådan. Vid ett enda tillfälle gjorde jag något olämpligt, men det har jag fått lida för i hela mitt liv."

Hon berättade att pappa inte ville gifta sig med henne.

"Först sa han att vi inte visste tillräckligt om varandra och att vi borde vänta tills vi hade lärt känna varandra bättre. Så småningom hävdade han att vi var för unga och att vi måste ta god tid på oss. Strax före bröllopet förvarnade han mig om att han inte kunde älska mig så som jag förmodligen förväntade mig eller behövde.

Men jag ville inte lyssna på honom. Jag vägrade tro honom. Hans motvillighet och tveksamhet stärkte bara min beslutsamhet. Jag ville ha honom, han och ingen annan. Under de första månaderna misstänkte jag att han hade en hustru i Burma, men han sa att han inte var gift. Det var det enda som han berättade för mig om alla dessa år i hemlandet. Vid den tidpunkten intresserade det mig ändå inte. Jag var övertygad om att han i det långa loppet inte skulle kunna motstå mig och min kärlek. Burma var så fjärran.

Det var jag som somnade och vaknade bredvid honom. Jag ville erövra honom. Berodde det på min sårade fåfänga eller var det den väluppfostrade dottern i en respektabel familj som gjorde uppror mot föräldrarna? Jag kunde inte ha hittat ett bättre sätt att revoltera mot det som min fars livsstil stod för än genom att gifta mig med en mörkhyad man. Men varför begriper jag inte. Jag vet fortfarande inte orsaken.

Jag har i många år försökt finna ett svar på dessa frågor, men utan framgång. Det var kanske en kombination av flera olika skäl. När jag väl insåg att jag inte kunde ändra på din far så som jag hade hoppats var det redan försent.

I början höll vi ihop för din och din brors skull. Så småningom visade det sig att vi inte hade mod nog att skilja oss. I alla fall saknade jag mod till det. Vad din far beträffar vet jag inte vad som motiverade honom."

Sedan tillade hon trött: "Åk till Burma om du vill. När du kommer tillbaka tänker jag inte fråga dig ett dugg och jag vill inte heller att du berättar något för mig. Jag är inte längre intresserad, vad du än må hitta där."

Morgonen därpå for jag min väg. Limousinen som skulle ta mig till flygplatsen stod och väntade utanför porten. Morgonen var klar och kylig. Taxichaufförens andedräkt stod som ett moln i den iskalla luften medan han vankade av och an framför bilen. Dörrvakten bar ut mina väskor till bilen och stuvade in dem i bagage-utrymmet. Jag mådde inte bra. Jag kände mig ledsen, ängslig och rädd. Jag hade aldrig förstått att mamma hade varit så olycklig i sitt äktenskap. Jag tänkte på det som hon hade sagt till mig dagen innan: "Din far lämnade mig långt före den dag då han försvann." Än jag då, tänkte jag. Hur länge sedan var det som min far hade lämnat mig?

Kapitel 6

Trots att jag knappt kunde röra mig på grund av trötthet och utmattning låg jag vaken en lång stund och därefter sov jag dåligt. Frågorna gav mig ingen ro. Jag vaknade med ett ryck flera gånger under natten, satte mig upp i sängen och såg på det lilla reseuret bredvid mig. 2:30. 3:10. 3:40.

Nästa morgon mådde jag inte ett dugg bättre. Jag blev klarvaken på ett ögonblick. Jag hade huvudvärk och hjärtat bultade så hårt att det kändes som om någon tryckte ihop bröstkorgen på mig. Jag hade upplevt den känslan förr, i New York, strax före viktiga möten och förhandlingar.

En lätt bris fläktade in genom det öppna fönstret och morgonkylan trängde långsamt in under täcket. Rummet fylldes av en frisk, exotisk väldoft som jag inte kunde identifiera.

Nu hade det blivit ljust. Jag klev upp och gick fram till fönstret. Himlen var mörkblå och utan ett moln. Solen dröjde sig fortfarande kvar bakom bergen. Träden, blommorna och buskarna framför hotellet var som tagna ur en saga – färgerna var vildare och starkare än allt jag tidigare sett. Till och med vallmon verkade rödare än rött.

När jag skulle duscha fanns det inte något varmvatten. Väggarna och taket i frukostmatsalen var beklädda med mörk, nästan svart, träpanel. Ett bord vid fönstret var dukat till frukost. Jag var den enda gästen på hotellet.

En kypare kom fram och bugade djupt. Jag kunde välja mellan te eller kaffe och stekta ägg eller äggröra. Han hade inte hört talas om flingor. Det fanns varken korv eller ost.

"Stekt ägg eller äggröra?" frågade han.

"Äggröra", sa jag. "Och kaffe."

Jag såg efter honom när han försvann genom en svängdörr i andra änden av det stora rummet. Han gick så lätt att jag inte hörde fotstegen och jag tyckte att det såg ut som om han svävade en bit ovanför golvet när han korsade matsalen.

Jag var ensam. Tystnaden gjorde mig illa till mods. Det kändes som om de tomma borden och stolarna var försedda med ögon som var riktade mot mig och följde varenda rörelse och andetag. Jag var inte van vid den här sortens tystnad. Hur lång tid kunde det ta att laga kaffe och lite äggröra? Varför hördes det inte några röster eller något skrammel från köket?

Det här stället gjorde mig beklämd. Jag tyckte att stämningen blev allt kusligare och funderade på om det gick att vrida upp tystnaden precis som man kan vrida upp volymen. Som svar på min fråga blev tystnaden allt intensivare för varje ögonblick ända tills den dånade i öronen och blev fullständigt outhärdlig. Jag harklade mig och slog kniven mot tallriken för att få höra några ljud.

Sedan reste jag mig, skyndade fram till dörren som ledde ut i trädgården, öppnade och gick ut. Det var blåsigt. Aldrig förr hade suset i trädkronorna, binas surrande och gräshoppornas gnisslande låtit så trösterikt som nu.

När frukosten äntligen serverades visade det sig att kaffet var ljummet och äggröran vidbränd. Kyparen ställde sig i en vrå och log och nickade medan jag åt den brända äggröran och drack det ljumma kaffet och jag log och nickade tillbaka. Jag beställde påtår och bläddrade genom min resehandbok. Kalaw tog knappt en sida i anspråk.

Beläget på västsidan av Shanplatån, tidigare omtyckt av engelsmän som tillflyktsort uppe i bergen. Numera en lugn och fridfull liten stad med atmosfär från kolonialtiden. Kalaw är beläget på 1 310 meters höjd, behagligt svalt, idealiskt ställe för utflykter i pinjedungar och bambuskogar, strålande utsikt över bergen och dalarna i Shanprovinsen.

Befolkning: en enastående blandning av Shanbor, burmeser, olika bergsstammar, burmesiska och indiska muslimer och nepaleser (gurkhas som tjänstgjorde i den brittiska armén en gång i tiden), av vilka många gick i missionärsskolor. Fram till nittonhundrasjuttiotalet undervisade amerikanska missionärer i skolorna. Än i dag talar framför allt många av de äldre stadsborna engelska.

Marknaden och tre pagoder framhölls som intressanta utflyktsmål. Det fanns tydligen en burmesisk, en kinesisk och en nepalesisk restaurang, en biograf och många teserveringar. En engelsman hade formgett mitt hotell i tudorstil. Redan under kolonialtiden hade det varit det främsta etablissemanget i trakten. Dessutom fanns det ett antal små hotell och pensionat "som tillfredsställer synnerligen modesta krav".

Efter frukosten gick jag ut i trädgården och satte mig på en träbänk under en pinje. Nu fanns inte ett spår kvar av morgonens kyla. När solen steg blev det hett. Luften var full av tung, söt väldoft.

Var skulle jag börja mina efterforskningar? Den enda referenspunkten var adressen på det tunna blå kuvertet:

38 Circular Road
Kalaw, Shan State
Burma

Det var nästan fyrtio år sedan brevet skrevs.

Jag var i akut behov av ett fordon och en ortsbo som kände till omgivningarna. Vad mer?

Jag gjorde en lista i anteckningsboken:

Hyra bil och chaufför
Hitta rundtursguide
Leta reda på en telefonkatalog
Köpa karta över staden med omgivningar
Hitta adress
Fråga ut grannar och/eller polisen
Fråga polisen om pappa

Kolla med borgmästare och/eller lokala myndig-
heter för uppehållstillstånd
Kanske försöka få tag i andra amerikaner eller
britter
Visa bild på pappa på teserveringar, hotell och
restauranger
Ta kontakt med alla hotell, klubbar osv.

På det här viset förberedde jag mig alltid inför möten
och förhandlingar med klienter – jag skrev listor och
ägnade mig metodiskt åt bakgrundsundersökningar. Det
här kändes lugnande och välbekant.

Hotellet rekommenderade en chaufför som även
kunde tjänstgöra som guide. Han var för tillfället ute
och åkte med två danska turister, men han kunde stå
till tjänst om någon dag. Man trodde att han skulle
komma till hotellet vid åttatiden på kvällen. Det ver-
kade förnuftigt att vänta på honom trots att det innebar
att jag måste uppskjuta letandet till morgondagen. Det
skadade inte att fråga U Ba om adressen, även om han
var en bedragare. Det verkade som om han hade bott i
Kalaw i hela sitt liv.

Klockan var några minuter över tolv och jag beslöt
mig för att ta en joggingtur. Efter den långa resan läng-
tade kroppen efter träning. Det var visserligen varmt
men den torra bergsluften och vinden gjorde hettan
uthärdlig. Jag var i god form och brukade springa flera
kilometer i Central Park, hur kvavt och varmt det än
var om sommarkvällarna.

Den fysiska träningen gjorde mig gott. Den befria-
de mig. Jag brydde mig inte längre om blickarna. Jag

behövde inte undvika dem eftersom jag hade fullt upp med att koncentrera mig på benen. Det kändes som om jag kunde springa bort från allt som var underligt och olycksbådande, det kändes som om jag kunde iaktta och observera andra utan att själv bli iakttagen. Jag sprang ner till byn, fortsatte längs huvudgatan, passerade en moské och en pagod, rundade torget i en vid cirkel och sprang förbi oxkärror, hästdragna vagnar och en skara unga munkar. Först nu när jag sprang lade jag märke till hur långsamt och utan brådska lokalborna masade sig fram även om de rörde sig smidigt. Nu var jag redo att ta itu med dem. Jag kunde bestämma takten själv. Jag behövde inte anpassa mig till deras tempo.

Jag duschade och sedan lade jag mig att vila på sängen. Nu mådde jag bättre. Men när jag var på väg till teserveringen blev jag plötsligt så trött i benen. Jag kände av vartenda steg. Jag var orolig och nervös och undrade vad som väntade. Jag är inte den som tycker om överraskningar. Vad skulle U Ba berätta för mig och hur mycket av det kunde jag tro på? Jag tänkte ställa ingående frågor till honom. Om han trasslade in sig och sa emot sig själv skulle jag omgående ge mig av därifrån.

U Ba var redan på plats. Han reste sig, bugade och tog mina händer i sina. Hans hud var len och händerna var varma och sköna. Han beställde två glas te och ett par kakor. Efter en liten stund slöt han ögonen, drog ett djupt andetag och fortsatte sin berättelse.

Kapitel 7

December är en kall månad i Kalaw. Himlen är blå och molnfri. Solen vandrar från ena sidan av horisonten till den andra, men den stiger inte längre så pass högt att den sprider någon riktig värme. Luften är klar och frisk och endast de som har ett väl utvecklat luktsinne kan fortfarande känna en aning av den tunga, söta doften av den tropiska regntiden, då molnen hänger lågt över byn och dalen och regnet vräker ohämmat ner från himlen som om det ska släcka törsten i en förtorkad värld. Regntiden är varm och ångande. Marken stinker av ruttnande kött och stora svarta flugor slår sig ner på inälvorna och kranierna av döda får och boskap. Själva jorden tycks svettas. Maskar och insekter kryper ut ur dess porer. Harmlösa små bäckar förvandlas till brusande forsar som slukar oförsiktiga smågrisar, lamm och barn för att därpå spy ut dem, livlösa, i dalen nedanför.

Men december lovar människorna i Kalaw en frist från allt detta. December utlovar kalla nätter och barmhärtigt svala dagar. December, tänkte Mya Mya, är en skrymtare.

Hon satt på en träpall utanför sitt hus och såg ut

över fälten och dalen bort mot bergstopparna i fjärran. Luften var så klar att det kändes som om hon såg genom en kikare till jordens ände. Hon litade inte på vädret. Trots att hon inte kunde påminna sig att hon någonsin hade sett ett moln på decemberhimlen ville hon inte utesluta möjligheten att det plötsligt skulle komma en störtskur. Eller en tyfon, även om inte en enda i mannaminne hade letat sig fram från Bengaliska viken till bergen runt Kalaw. Men omöjligt var det inte. Så länge det fanns tyfoner någonstans kunde någon mycket väl förstöra Mya Myas hemtrakter. Eller så kunde det bli jordbävning. Till och med, eller kanske framför allt, en dag som denna när ingenting tydde på att katastrofen var på väg. Välbehaget var bedrägligt och förtröstan var en lyx som Mya Mya inte hade råd med, så pass mycket var hon medveten om och det ända in i hjärteroten. För hennes del skulle det varken bli frid eller ro. Inte i den här världen. Inte i hennes livsdagar.

Hon hade lärt sig sin läxa en stekhet augustidag för sjutton år sedan när hon och hennes tvillingbror lekte nere vid floden och han halkade på de hala stenarna. När han tappade balansen och hjälplöst fäktade med armarna som en fluga under ett uppochnedvänt glas. När han föll i vattnet som spolade bort honom. På hans resa. Den eviga. Hon hade stått på stranden, oförmögen att hjälpa till. Hon hade sett hans huvud sticka upp ur vattnet ännu en gång, en sista gång.

En präst skulle ha kallat det Guds vilja, en prövning av trosläran som Herren i sin oändliga visdom hade låtit familjen genomgå. Herrens vägar äro outgrundliga. Buddhistmunkarna gjorde tragedin begriplig genom att referera till pojkens tidigare liv. Han måste ha gjort någonting förfärligt under något av dessa liv vilket hade lett till hans död i detta nu.

Dagen efter katastrofen kom traktens astrolog med sin förklaring: Barnen hade gått norrut för att leka, men det borde de inte ha gjort med tanke på vilket datum de var födda. Inte den där lördagen i augusti. Det var inte att undra på att de råkade illa ut. Om bara han, astrologen, hade blivit rådfrågad tidigare skulle han nog ha varnat dem. Så enkelt och så svårt var livet.

En del av henne hade dött tillsammans med brodern, men det hade inte varit någon begravning för den sakens skull. Hennes familj hade inte ens märkt att den delen var borta. Föräldrarna var bönder och de hade fullt upp med sådd och skörd och de fyra andra barnen. Det var svårt nog att kunna sätta ris och några få grönsaker på bordet varje kväll.

Mya Mya, den till hälften döda, var ensam. Under de närmast följande åren arbetade hon hårt för att skapa ordning i en värld i spillror. Varje eftermiddag gick hon till floden och satte sig där hon hade sett brodern för sista gången och där väntade hon på att han skulle dyka upp igen. Floden tog hans kropp som rov och återlämnade den aldrig. Innan hon somnade på kvällen brukade hon berätta om sin dag för honom i förvissning om att han kunde höra henne. Hon låg på hans sida och under hans filt på den flätade halmmattan där de bägge hade sovit, och i åratal efteråt hade hon fortfarande doften av honom i näsan.

Hon vägrade att hjälpa sin mor med tvätten i floden. Ja, hon undvek vatten helt och hållet och badade endast i sällskap med föräldrarna. Som om hon kunde drunkna i en hink! Hon bar vissa kläder vissa dagar, vägrade ända tills hon blev femton år att tala på lördagar och fastade alltid på söndagarna. Hon skapade en intrikat väv av ritualer och levde ständigt däri.

Ritualerna gav skydd. Efter broderns död rådfrågade familjen astrologen inte bara en gång om året som tidigare, nej, de besökte honom nästan varje vecka. De låg vid hans fötter. De hängde vid hans läppar. De följde hans instruktioner, förtvivlat måna om att skydda sig mot världens ondska. Mya Mya tog astrologens ord till sitt hjärta i ännu högre grad än föräldrarna. Eftersom hon var född på en torsdag måste hon framför allt ta sig i akt på lördagar eftersom lördagen var en otursbringande dag, särskilt i april, augusti och december. Hon ville inte ta några risker och därför vägrade hon att gå hemifrån på lördagarna, men så gjorde hon det en gång i april av alla månader. Då fattade en filt eld, den låg i närheten av kokgropen i köket. Lågorna var rovgiriga. På några minuter hade de slukat träskjulet och berövat henne allt hopp om att det fanns något ställe här i världen där hon kunde känna sig trygg.

Mya Mya rös när hon mindes detta. Elden sprakade i köket och hon kom på fötter. En skör och ömtålig tunn ishinna täckte vattenytan i hinken framför henne. Hon slog sönder isen och iakttog de små krossade isbitarna som försvann i vattnet.

Hon tog ett djupt andetag, lade händerna om magen och kastade en blick nedåt kroppen. Hon var ung och vacker, även om hon aldrig hade känt sig så. Ingen hade sagt det till henne. Hon bar det långa svarta håret i en fläta som nästan nådde ner till höfterna. De stora mörka runda ögonen och de fylliga läpparna gav ansiktet en sensuell prägel. Fingrarna var långa och smala och armarna och benen var slanka och muskulösa. Magen var stor och rund och fast – ja, den var så stor att den kändes främmande efter alla dessa månader. Hon kände en spark och en stöt och tänkte för sig själv: Nu kommer de igen.

Värkarna hade börjat i går kväll med en timme emellan. Nu kom de med bara några minuters mellanrum. Vågorna bröts mot befästningen, allt fler, allt större, allt starkare. Hon försökte ta tag i något, en arm, en gren, en sten. Det fanns ingenting. Hon ville inte ha barnet, inte i dag, inte en lördag i december.

Hennes granne, som redan hade satt fyra barn till världen, tyckte att Mya Mya fick en lätt förlossning, särskilt för att vara förstföderska. Mya Mya mindes inte. Hon hade i flera timmar levt i en annan värld där händerna och benen inte längre lydde och där kroppen inte längre var hennes. Nu var hon bara ett stort öppet sår. Hon såg tunga svarta regnmoln och en fjäril satte sig på hennes panna. Hon såg brodern i tidvattnet. En allra sista gång. En tanke seglade förbi, likt en kycklingfjäder svävande uppåt i vinden. Hennes barn. Den där lördagen. Var det ett tecken? Hade brodern blivit återfödd?

Hon hörde ett spädbarn som grät. Det gnällde inte utan lät argt och trotsigt. Någon sa att det var en pojke. Mya Mya slog upp ögonen och tittade efter sin bror. Nej, det kunde inte vara den här fula, skrynkliga, blodiga ungen. Det här hjälplösa knytet med sitt förvridna ansikte och huvud.

Mya Mya hade inte en aning om vad ett barn behövde. Hon kom tomhänt till sin nya roll som mor. Den kärlek hon hade hyst var borta, den hade spolats bort en brännhet augustidag för länge sedan.

Kapitel 8

Ingen kunde påstå annat än att Mya Mya hade försökt allt under sonens första dagar i livet. Hon gjorde precis som grannen sa åt henne. Hon lade honom vid sina runda, mjölkstinna bröst och ammade honom. Hon vaggade honom till sömns och bar omkring honom när han inte kunde komma till ro. Hon svepte in honom i en filt och bar honom tätt intill kroppen när hon gick för att handla i byn. På nätterna låg hon vaken mellan sin man och barnet och lyssnade efter att den lille andades, hon följde med i hans korta, snabba andetag och önskade att hon hade kunnat känna något. Att hon hade känt något när hon ammade sonen och han tog tag i hennes finger med sin runda, smågropiga lilla hand. Hon önskade att något skulle fylla tomheten inombords. Något, vad som helst.

Hon vände sig på sidan och tryckte barnet intill sig i en omfamning som var en blandning av utmattning och våld. Hon pressade armarna ännu hårdare om sonen som såg häpet på henne med stora bruna ögon. Mya Mya kände ingenting. Mor och son var som magneter som stötte bort varandra. Hur hårt hon än tryckte honom till sig skulle de aldrig nå varandra.

Det handlade kanske bara om tid. Hon skulle måhända ha haft en chans trots allt, och instinkten att dra försorg om sonen skulle ha kunnat övergå i ömhet och de ömma känslorna ha förvandlats till ett kärlekens mirakel – om inte incidenten med kycklingarna hade inträffat.

Det skedde en lördag, två veckor efter förlossningen. Strax efter soluppgången gick Mya Mya ut på gården för att hämta ved till eldstaden i köket. Morgonen var kylig och hon skyndade på stegen. Hon gick bakom huset för att leta efter kvistar och några rejäla vedträn. En död kyckling låg framför vedstapeln. Hon nästan trampade på den. Hon hittade den andra vid tolvtiden, vid samma tid som hon hade fött barn, den tredje och den fjärde en liten stund senare och tuppen på eftermiddagen. Hennes man undersökte de döda djuren men hittade inte några spår. I går kväll hade de struttat omkring utanför huset och skrockat livligt och det fanns inga tecken på att någon hund eller katt, och ännu mindre någon tiger, hade fått tag i dem. Mya Mya hyste inte minsta tvivel. De döda fåglarna bekräftade hennes värsta farhågor. Tänk bara på den plötsliga störtskuren – nej, värre än så – tänk på tyfonen i december och jordskalvet, som hon alltid hade fasat för men längtat efter i hemlighet. Det vilade en förbannelse över hennes son. Han förde otur med sig. Astrologen hade siat om detta. Hon borde inte ha fött barn på en lördag, inte i december.

Inte ens det faktum att drygt ett dussin av grannens kycklingar gick samma gåtfulla död till mötes kunde trösta Mya Mya. Tvärtom, det bara bekräftade hennes onda aningar. Nu förstod hon att det här bara var början och att oturen som pojken förde med sig inte skulle begränsas till hennes egen familj.

Hon låg vaken om nätterna och fasade för nästa katastrof, för hon insåg att den bara var en tidsfråga. Minsta hostning, flämtning och suck lät som åskmuller vid horisonten. Hon låg blickstilla och spände hörseln så fort barnet rörde sig. Pojkens andetag lät som de smygande fotstegen hos en lömsk och olycksdiger gestalt som kom allt närmare.

En vecka senare sinade mjölken. Brösten hängde slappt ner som två tomma ballonger. Grannens väninna, som nyligen hade fått barn, tog över amningen. Mya Mya gladdes varenda minut som sonen var ute ur huset. Hon tänkte prata med sin man. Det kunde inte fortsätta på det här viset. De måste göra något.

Kapitel 9

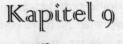

Khin Maung tyckte att hans hustru förstorade problemen. Han trodde förstås också på stjärnornas makt. Alla visste att dagen, timmen och till och med minuten av ens födelse kunde avgöra livsbanan – därom rådde knappast något tvivel. Och det fanns spetsfundigheter som man gjorde bäst i att lägga märke till, det fanns dagar då man borde hålla sig i stillhet och ritualer som man måste följa för att undvika katastrofer. Khin Maung var överens med sin hustru även i detta fall. Ingen blev förtjust över en barnafödsel på en lördag i december, självfallet inte. Alla kände till att stjärnorna inte log mot dessa barn, att ett svårt liv väntade dem och att deras själar sällan fick vingar. Varenda familj hade en morbror eller en faster eller kände åtminstone en granne eller en god vän till en granne som kände någon som hade en släkting som hade blivit född en av dessa olycksdigra dagar och som smög genom livet som en slagen hund och som förblev liten och förkrympt som en skuggväxt. Hans son skulle inte få det lätt, därom hyste Khin Maung inga illusioner, men att dra den förhastade slutsatsen att det vilade en förbannelse över den lille var att gå för långt (även om han faktiskt var bekymrad över de döda kycklingarna – men det skulle han självfallet aldrig medge inför Mya Mya). När hon föreslog att de skulle rådfråga astrologen gick Khin Maung beredvilligt med på detta och inte bara av det skälet att han hade svårt att säga nej. Han hoppades också att den gamle astrologen skulle trösta hans hustru med några kloka ord. Och om stjärnorna bekräftade hennes farhågor skulle astrologen tala om för dem hur de kunde minimera om än inte förhindra de olyckor som deras son riskerade att råka ut för.

Astrologen bodde i ett oansenligt träskjul i byns utkant. Ingenting i det yttre lät ana att han bemöttes med stor respekt av byborna. Inte ett enda hus i området blev uppfört utan att han först hade blivit tillfrågad om platsen var lämplig och om den dag då man skulle lägga grunden stod under gynnsamma stjärnor. Före bröllopet brukade de blivande makarna eller deras föräldrar komma på besök för att förvissa sig om att brudens och brudgummens horoskop passade ihop. Astrologen brukade fråga stjärnorna om vilka datum som var bäst när man skulle ut och jaga eller göra en resa till huvudstaden. Under årens lopp hade hans spådomar visat sig vara så korrekta att folk kom resande till honom från fjärran platser i provinsen. Astrologen hade ett så gott renommé att det påstods (för även om ingen visste säkert så var ryktena ihärdiga) att även många av de engelsmän som bodde i Kalaw sökte upp honom – trots att de offentligt gjorde narr av den burmesiska astrologin och kallade den för vidskepelse.

Astrologen satt med korslagda ben mitt på golvet i

sitt lilla skjul. Huvudet var runt som en fullmåne, tänkte Khin Maung. Ögonen, näsan och munnen var välformade och det enda som störde de harmoniskt utmejslade dragen var de stora, utstående öronen. Ingen visste hur gammal astrologen var. Inte ens de äldsta i byn mindes honom som ung och därför trodde alla att han måste vara en bra bit över åttio. Men han talade aldrig om det själv. Ansiktet, hans klara hjärna och vakna sinnelag trotsade tidens tand. Sedan urminnes tid hade hans röst varit vänlig och lågmäld och hörseln och synen var som en tjugoårings. Med åren hade han fått rynkor i ansiktet men huden på kroppen var inte slapp som den brukade vara på äldre män.

Khin Maung och Mya Mya bugade och stod tveksamma kvar på tröskeln. Mya Mya hade suttit mitt emot astrologen så ofta sedan barndomen att hon för länge sedan hade slutat hålla räkning på besöken, men hon blev fortfarande svag i knävecken och kände en ilning i maggropen när hon kom dit. Det handlade inte om förtrolighet, utan snarare om vördnad, ja, rentav bävan.

Khin Maung var här för första gången och den respekt han kände blandades med nyfikenhet. Hans föräldrar hade alltid besökt astrologen utan honom och till och med när han skulle gifta sig med Mya Mya var det föräldrarna som hade frågat astrologen om de hade hittat en lämplig blivande maka till sonen.

Khin Maung såg sig omkring innan han bugade på nytt. Golvet och väggarna var av mörk teak. Dammkorn dansade i solstrålarna som trängde in genom de bägge öppna fönstren. Solskenet bildade två rektanglar på golvet. De blänkte i träet som var lent efter åratals nötning.

Strålglansen var så stark att Khin Maung började darra. Sedan fick han syn på en guldskimrande buddhafigur i snidat trä. Det var det vackraste föremål han sett i hela sitt liv. Han ställde sig på ena knät och böjde sig ner ända tills pannan nuddade vid golvet. Framför buddhan stod två blombuketter och en tallrik full med offergåvor. Någon hade kärleksfullt staplat fyra apelsiner i en pyramid. Bredvid dem låg två bananer, en papaya och flera skopor te, konstfullt ordnade i en liten hög. Väggarna var täckta med vita papper fullklottrade med små siffror och bokstäver. I rummets fyra hörn stod små vaser fyllda med sand och glödande rökelsepinnar.

Den gamle astrologen nickade. Khin Maung och Mya Mya knäböjde framför honom på var sin matta av flätad halm. Mya Mya hörde och kände bara sitt vildsint bultande hjärta. Det var Khin Maung som fick sköta samtalet och ställa frågor, det hade hon gjort fullständigt klart för honom redan tidigare. De hade varit gifta knappt ett år men hon kände bara alltför väl till hans passivitet. Han var tystlåten och sa inte många ord på en hel kväll. Hon hade aldrig sett honom sur, arg eller upprörd. Det märktes knappt när han var glad och belåten heller. Ett snabbt leende var allt han visade i fråga om känslor.

Han var inte någon slöfock, tvärtom. Han var faktiskt en av de strävsammaste bönderna i byn och han var ofta ute och brukade jorden redan i gryningen, långt före de andra. Men för honom verkade livet vara en lugn flod vars lopp i stort sett var förutbestämt. Alla försök att på ett avgörande sätt ändra dess bana var dömda att misslyckas. Khin Maung var en hårt arbetande människa som saknade framåtanda, en nyfiken ung man som inte ställde några frågor, en lycklig karl som inte strålade av glädje.

Efter en lång tystnad hörde Mya Mya att hennes man sa med låg röst: "Vi har kommit hit för att fråga er till råds, vördnadsvärde mästare."

Den gamle nickade.

"Vår son föddes en lördag för tre veckor sedan och nu vill vi veta om han hotas av katastrof och elände."

Astrologen tog fram en bit krita och en liten griffeltavla och ville veta dag och exakt klockslag för nedkomsten.

"Den tredje december tjugo i elva på förmiddagen", sa Khin Maung.

Den gamle mannen skrev upp siffrorna i små rutor och började göra sina beräkningar. Han lade till fler siffror och tecken, strök ut andra och ritade en massa hel- och halvcirklar på olika rader som om han skrev livet i notskrift.

Efter många långa minuter lade han ifrån sig griffeltavlan, tittade upp och såg genomträngande på Mya Mya och Khin Maung. Leendet hade slocknat.

"Barnet kommer att förorsaka sina föräldrar sorg", sa han. "Djupaste sorg."

Mya Mya tyckte att det kändes som om hon sjönk ner i dy. Någonting drog ner henne och det fanns inte någon som kunde hjälpa henne och ingenting att hålla sig i. Inte en hand. Inte en gren. Hon hörde den gamles röst och även sin mans, men hon lyssnade inte längre till vad de sa. Rösterna lät dämpade och avlägsna, som om de kom från ett annat rum och ett annat liv. Djupaste sorg. Djupaste sorg.

"Vad för slags sorger?" frågade Khin Maung.

"Av olika slag, framför allt medicinska."

Han tog upp griffeltavlan och fortsatte skriva och räkna.

"I huvudet", sa han till sist.

"Var i huvudet?" undrade Khin Maung långsamt och tydligt som om han fogade samman bokstäverna till sammanhängande ord. Efteråt häpnade han över denna för honom okaraktäristiska nyfikenhet och envishet.

Astrologen såg på griffeltavlan som avslöjade universums hemligheter för honom. Här fanns en förteckning över liv och död – och kärlek. Han kunde ha berättat för föräldrarna om allt annat som han såg: de utomordentliga talanger som gossen hade begåvats med, den magiska kraften som låg latent och förmågan till kärlek. Men han insåg att Mya Mya inte hörde på och att Khin Maung inte skulle förstå. Och därför sa han bara: "I ögonen."

Mya Mya hade inte hört på under den här delen av samtalet och när hon och Khin Maung var på hemväg och han pratade som en kvarn (vilket hon aldrig förr hade varit med om) stapplade hon vidare utan att förstå ett dugg. Orden surrade som flugor i huvudet på henne. Djupaste sorg.

Under de följande månaderna försökte Khin Maung gång på gång att förklara för sin hustru att astrologen visserligen hade talat om sorg, rentav om djupaste sorg, men den var framför allt av medicinskt slag, och det hade inte varit tal om någon förbannelse eller att den lille skulle förebåda några olyckor. Hon vägrade att höra på. Det såg han i hennes blick. Han märkte det på hennes sätt att behandla sonen: hon tog tag i honom utan att nudda vid honom och såg rakt igenom honom.

Tin Win var bara tre veckor gammal när livet, åtminstone ur moderns perspektiv, var utstakat. Livet var förspillt. Nu handlade det bara om att hon skulle ta sig igenom resten av sina dagar på ett så älskansvärt vis som möjligt.

Det skulle visa sig vara att kräva för mycket.

Kapitel 10

Nu när stjärnorna hade talat och barnets öde var bestämt sov Mya Mya betydligt bättre. Hon visste vad som väntade. Hon kände sig hemmastadd bland olyckor och missöden. Glädje och lycka gjorde henne nervös eftersom det var så ovant och främmande. Hon behövde inte plåga sig själv med ogrundade förhoppningar. Själen blev inte anfrätt av några illusioner, inga drömmar satte fart på fantasin. Det lugnade henne.

I dagar och veckor efter besöket hos astrologen var det i stället Khin Maung som låg vaken bredvid sin hustru och sitt barn som sov så gott medan han plågades av hemska tankar. Tänk om astrologen hade misstagit sig? Stämde det verkligen att ingen kunde undgå sitt öde? Om vi inte själva kunde styra våra liv, vem gjorde det då? Han hade inte lust att lyssna på stjärnorna.

"Mya Mya! Mya Mya!" sa han och satte sig upp i sängen den första natten efter besöket hos astrologen. Hans hustru låg och sov bredvid honom.

"Mya Mya!" Det lät som en besvärjelse.

Hon slog upp ögonen.

Natthimlen var utan ett moln och det var fullmåne. I

det svaga skenet från månstrålarna som lyste in genom fönstret urskilde han konturerna av hennes ansikte, ögonrörelserna och den smala näsan. Det slog honom att hon var vacker. Det hade han aldrig tidigare tänkt på. Föräldrarna hade försäkrat honom att kärleken skulle växa fram så småningom och han hade trott dem, dels för att han alltid gjorde som de sa och dels för att han hade mycket vaga begrepp om vad kärlek var för något. Han betraktade kärleken som en gåva, en ynnest som vissa fick ta del av och andra inte. Ingen var berättigad till den.

"Mya Mya! Vi måste, vi borde, vi får inte …"

Han hade så mycket att säga till henne.

"Jag vet, Khin Maung", sa hon och satte sig upp, "jag vet."

Hon kröp tätt intill honom, tog honom i famnen och tryckte hans huvud mot sin barm. Det var en ovanlig gest för att komma från Mya Mya, för vilken ömhet var någonting lika överdådigt luxuöst som varmvatten på morgonen eller ett leende när man skildes åt. Ömhet var för drömmare och andra som hade tid, kraft och känslor i övermått. Själv tillhörde hon inte någon av dessa kategorier.

Mya Mya trodde sig förstå vad som rörde sig inom honom och hon fylldes av medlidande. Att döma av de snabba hjärtslagen, ryckningarna i kroppen och hans sätt att slå armarna om henne bedömde hon att han behövde få tid på sig. Han trodde fortfarande att de kunde skydda sig och att det fortfarande fanns möjlighet att förändra det som inte längre kunde ändras.

Khin Muang låg i hennes famn och han pratade. Inte

högt och inte med henne. Hon förstod inte ett ord av det han sa. Han talade för sig själv, snabbt och utan uppehåll. Viskningarna lät fordrande, trotsiga, närmast hotfulla och sedan blev de bönfallande, bevekande och osäkra. En ordström som inte sinade. Det var som om han satt vid en dödsbädd och det enda som höll den döende vid liv var ljudet av hans stämma.

Han ville kämpa för sin son. Han intalade sig att varje liv var löftesrikt och i sonens fall tänkte han, Khin Maung, utforska alla möjligheter för att kunna förverkliga de löftena. Om detta måste ske utan hustruns stöd så fick det väl bli på det viset.

Det skulle han berätta för henne det första han gjorde i morgon bitti, redan före frukost. Sedan somnade han.

Men det blev aldrig tillfälle till någon diskussion, varken före frukost eller på kvällen efter dagens id.

Natten därpå drog han sig till minnes varenda detalj i besöket hos astrologen. Huset blev synligt inför hans inre blick, en smula suddigt i början men efterhand allt klarare i konturerna likt ett landskap när dimman lättar. Han såg rummet för sig, stearinljusen, rökelsestickorna och griffeltavlan där livets mysterier avslöjades. Kärlekens stora bok. Han hörde den gamles förklaringar och lät dem långsamt, ord för ord, strömma genom hjärnan. Det hade inte varit tal om någon förbannelse. Han skulle prata med sin hustru, tidigt morgonen därpå. Det blev aldrig tillfälle till detta.

Så gick nätterna. Och dagarna. Om Khin Maung hade varit annorlunda skulle han inte ha väntat på en lämplig stund utan i stället ha tagit första bästa tillfälle i akt. Men sådan var han inte till sin natur. Han skulle ha varit tvungen att överskrida vissa gränser, sina egna begränsningar, och han var inte någon hjälte. Han kunde bara tillåta sig att tänka dessa tankar och det dröjde inte länge förrän hans krafter var uttömda. Ånyo greps han av tvivel och nu när motståndet var brutet slet betänkligheterna sönder honom likt råttor och gamar som går till angrepp mot ett kadaver. Stjärnorna hade helt rätt. En lördag i december. Djupaste sorg ur olika aspekter. Det kunde knappast ha varit tydligare.

Strax efter kycklingincidenten avled en gammelfaster – på dagen åtta veckor efter gossens födelse. Det måste medges att hon hade varit gammal och sjuk och hon hade inte lämnat hemmet på åratal och för ett snabbt förbiilande ögonblick hade Khin Maung tänkt påpeka detta för sin hustru. Men det var bara för ett kort ögonblick, för sedan såg även han tecknet och kunde inte säga emot Mya Mya.

I fortsättningen drog han sig undan sin son och tröstade sig med tanken att pojken när allt kom omkring bara var den förste i raden av alla de barn som han, Khin Maung, skulle få med Mya Mya. Allihop kunde ju inte komma till världen en lördag i april, augusti eller december. Han arrenderade ut sin åkermark och började arbeta som trädgårdsmästare och caddy på engelsmännens golfbana. Det var bättre betalt än att syssla med jordbruk och han fick en orsak att slippa vistas i sitt eget hem ens under den torra årstiden, då bönderna knappt hade något att göra på fälten. Golf var en åretruntsysselsättning.

Mya Mya grävde ner sig i hushållssysslor. Familjen

bodde i ett litet skjul av trä och lera dolt bakom en pampig tvåvåningsvilla som ägdes av en onkel, en avlägsen släkting till Khin Maung. Villan låg på krönet av kullen ovanför byn och var byggd i tudorstil, likt de flesta av de hus som under kolonialtiden ägdes av de mäktiga herrarna i Kalaw. Staden var mycket populär under den torra årstiden. När temperaturen steg till fyrtio grader i Mandalay och i huvudstaden Rangoon skänkte Kalaw, som låg på trettonhundra meters höjd, svalka och lindring från hettan i deltat och de låglänta områdena. En del engelska medborgare stannade kvar i landet efter pensioneringen och flyttade till någon av kurorterna i bergen, som exempelvis Kalaw. En engelsk officer hade låtit bygga den här villan där han hade tänkt bo som pensionär, men tragiskt nog återvände han aldrig från en tigerjakt som han hade deltagit i bara två veckor efter det att han hade begärt avsked ur armén.

Officersänkan hade sålt huset till Khin Maungs onkel, som hade skaffat sig respekt och en ansenlig förmögenhet som rismagnat i Rangoon. Han var en av de få som hade lyckats etablera sig på den marknad som dominerades av den indiska minoriteten och han var en av de rikaste burmeserna i landet. Villan hade inte något faktiskt värde för honom. Under de sex år som huset hade varit i hans ägo hade han inte varit där på besök en enda gång. Nej, huset var en symbol för hans välstånd, en statussymbol som han nämnde i förbigående för att kunna imponera på sina affärsbekanta i huvudstaden. Mya Mya och Khin Maung ansvarade för husets skötsel och höll allt i bästa skick, som om husets herre skulle komma på besök när som helst. Efter sonens födelse hade Mya Mya ägnat alla krafter åt denna uppgift. Hon bonade trägolven varje dag, som om målet var att förvandla dem till speglar. Hon dammade hyllorna på morgnarna och på kvällarna dammade hon dem igen, trots att inte ett enda synligt dammkorn hade landat på dem under de gångna tolv timmarna. Hon putsade fönstren en gång i veckan och klippte gräset med sax vilket fick det att se mer välvårdat ut än om det klipptes med gräsklippare. Hon höll den frodiga bougainvillean i schack och skötte hängivet om blommorna i rabatterna.

Mya Mya iakttog de bägge poliserna som kom uppför kullen. Hon stod vid diskbänken i köket och skrubbade morötter. Det var en kylig och klar decemberdag och Mya Mya hade bråttom. Hon hade ägnat alltför mycket tid åt att bona golven på andra våningen och nu oroade hon sig för att hon inte skulle hinna klart med köksarbetet på eftermiddagen. Om husets herre skulle komma på besök dagen därpå skulle han inte finna huset i oklanderligt skick och då skulle de gångna årens arbete vara förgäves eftersom han säkert skulle tro att Mya Mya inte hade skött om huset som hon borde. En dags oreda kan förstöra tusen dagars ordning, tänkte hon och såg ut över dalen.

Poliserna i sina prydliga blå uniformer kom inte på vägen där oxkärror och någon enstaka bil for förbi. De hade i stället valt den smala gångstigen som först slingrade sig fram i snäva krökar genom pinjedungarna och sedan fortsatte mellan fälten upp till kullens krön. Mya Mya iakttog männen som närmade sig, hon såg deras ansikten och kände hur paniken växte inombords. Tin

Win fyllde sex år i dag och hon hade ända sedan han föddes varit övertygad om att hon måste vara beredd på katastrofer av alla de slag, särskilt på hans födelsedag.

Efter bara två andetag hade fruktan tagit henne i besittning till kropp, själ och sinne. Magen och inälvorna drog ihop sig i kramp som om en jättelik hand allt hårdare hade vridit om dem. Hon flämtade efter luft. Hon hörde att hon började kvida, be och bönfalla om att det inte skulle vara sant.

Poliserna öppnade grinden, steg in i trädgården och stängde grinden efter sig. De gick långsamt fram till Mya Mya. Hon märkte att de rörde sig motvilligt. Varje steg var som en spark mot hennes kropp. Den yngste gick med sänkt huvud. Den äldre såg henne i ögonen. Hon kände igen honom från flyktiga möten i byn. Deras blickar möttes och under loppet av ett hjärtslag hann Mya Mya tolka budskapet i hans ögon. Det räckte. Hon förstod alltihop och fruktan, detta monster som hade övermannat henne, försvann lika snabbt som den hade kommit. Hon insåg att hon hade drabbats av en fruktansvärd olycka, att ingen skulle kunna göra den ogjord, att ingenting i livet skulle bli som det hade varit, att detta var tredje gången gillt och att hon inte hade styrka nog att uthärda allt detta elände.

Nu stod poliserna framför henne. Den yngste vågade fortfarande inte räta på nacken.

"Din man har råkat ut för en olycka", sa den äldre polisen.

"Jag vet", sa Mya Mya.

"Han är död."

Mya Mya sa ingenting. Hon satte sig inte ner. Hon

grät inte. Hon ropade inte ut sin sorg. Hon sa inte ett ljud.

Hon hörde att poliserna sa något om en olyckshändelse, något om en golfboll som hade drivits ur kurs av blåsten. Rakt i tinningen. Dog på fläcken. Engelsmannen skulle stå för begravningskostnaderna. En liten kompensation. Inte som något erkännande av att han var skyldig. Bara en medkännande gest. Inget annat. Mya Mya nickade.

När poliserna hade gått vände hon sig om och såg efter sin son. Han satt och lekte för sig själv bakom huset. Bredvid sig hade han en stor hög med pinjekottar. Han försökte kasta dem i ett hål som han hade grävt några meter längre bort. De flesta missade målet.

Mya Mya ville ropa på honom och berätta för honom att hans far var död. Men varför skulle hon göra det? Antagligen visste han redan om det. Det var när allt kom omkring pojken som hade orsakat allt elände och Mya Mya noterade att hon för första gången kunde medge inför sig själv att hon gav sonen skulden för detta. Det handlade inte bara om att stjärnorna var ogynnsamma. Det handlade om Tin Win själv, denne tillbakadragne gosse med sitt svarta hår och sina gåtfulla ögon med en blick så outgrundlig att hon aldrig visste om han såg på henne eller inte. Hon kunde inte tolka hans blickar. Det var Tin Win som hade orsakat allt elände, det var han som var skuld till bedrövelsen. Han skapade den på samma vis som andra barn byggde kojor eller lekte kurragömma.

Mya Mya ville lämna allt bakom sig. Hon ville aldrig se sitt barn igen.

Under de följande trettiosex timmarna agerade hon så som en människa gör som bara har ett enda mål i sikte, ett mål som driver henne framåt, ett mål som hon sätter före allt annat. Hon spelade rollen av den sörjande änkan, tog emot besök av vänner och grannar, ordnade begravningen dagen därpå, stod vid sin mans öppna grav och såg hur träkistan försvann ner i jorden.

Nästa morgon packade hon ner sina fåtaliga ägodelar – ett par blusar och longyis, ett extra par sandaler, en kam och ett hårspänne – i en gammal golfbag som hennes man hade tagit med sig hem en gång från klubben. Tin Win stod tyst bredvid och såg på.

"Jag måste resa bort några dagar", sa hon utan att titta upp.

Tin Win sa ingenting.

Hon lämnade huset. Sonen sprang efter henne. Hon vände sig om och då hejdade han sig och stod stilla.

"Du får inte följa med", sa hon.

"När kommer du tillbaka?" frågade han.

"Snart."

Mya Mya vände på klacken och gick fram till trädgårdsgrinden. Hon hörde hans lätta steg bakom sig. Hon gjorde helt om.

"Hörde du inte vad jag sa?" sa hon skarpt med hög röst.

Tin Win nickade.

"Stanna här." Hon pekade på en pinjeträdstubbe. "Sätt dig där och vänta på mig."

Tin Win sprang fram till den gamla trädstubben och klättrade upp på den. Därifrån hade han bra utsikt över stigen som ledde till deras hus. Mya Mya började gå igen. Hon öppnade och stängde trädgårdsgrinden utan att se sig om. Med snabba steg vandrade hon bort på stigen som ledde till byn där nere i dalen.

Tin Win tittade efter henne. Han såg att hon gick över fälten och in i skogen. Det här var en bra utkiksplats. Härifrån skulle han redan på långt håll kunna se när hon kom tillbaka.

Kapitel 11

Tin Win väntade.

Han väntade resten av dagen och hela natten. Han satt nedhukad på den släta stubben och kände varken hunger eller törst, han märkte inte ens kylan som spred sig över bergen och dalarna när det blev kväll. Kylan gled ovanför honom utan att vidröra honom, likt en fågel över en glänta.

Tin Win väntade även dagen därpå. Han såg att det blev mörkt och sedan såg han hur staketet och buskagen och fälten åter dök upp i mörkret. Han såg mot fjärran där han knappt kunde urskilja träden. Från det hållet skulle hans mor komma och eftersom hon hade en röd jacka på sig skulle han känna igen henne redan på långt avstånd och då skulle han hasa sig ner från stubben, klättra över staketet och springa henne till mötes. Han skulle ropa högt av glädje och hon skulle ställa sig på knä och ta honom i famnen och krama honom. Väldigt hårt.

Så föreställde sig Tin Win välkomstscenen, när han lekte ensam och satt och drömde, trots att föräldrarna aldrig hade böjt sig ner och lyft upp honom, inte ens när han stod framför dem och omfamnade deras ben. Han märkte att de inte ville röra vid honom. Det var hans eget fel, därom rådde inte minsta tvivel. Det var en bestraffning, en rättvis sådan, men han visste inte för vad och hoppades att han snart skulle ha sonat sitt brott, vad det nu kunde ha varit. Tin Wins längtan efter försoning hade blivit ännu starkare nu eftersom man hade lagt hans kalla, stela far i en träkista och begravt honom i en djup grop i marken. Längtan efter Mya Mya och hennes kärlek fick honom att härda ut och sitta kvar på trädstubben och vänta tålmodigt på att solens röda klot skulle stiga upp vid horisonten.

Den tredje dagen kom en grannkvinna med vatten och en skål med ris och grönsaker och frågade om han inte hellre ville vänta hemma hos henne. Tin Win skakade eftertryckligt på huvudet, som om han skulle missa sin mors återkomst om han följde med till grannens hus. Han rörde inte maten. Han ville spara den så att han kunde äta tillsammans med modern när hon kom hungrig hem efter sin långa resa.

Den fjärde dagen tog han en klunk vatten.

Den femte dagen kom grannens syster, Su Kyi, med en kanna te och mer ris och några bananer. Men Tin Win hade bara sin mor i tankerna och åt inte något nu heller. Det dröjde nog inte länge till. Hon hade ju sagt att hon snart skulle komma hem igen.

Den sjätte dagen kunde han inte längre urskilja träden. Skogen var suddig, det var som om han hade vatten i ögonen. Den såg ut som en tygtrasa full med små röda prickar som vajade i vinden. Prickarna kom närmare och blev allt större men det var inte några jackor

77

utan röda bollar som med våldsam kraft slungades åt hans håll. De susade förbi till vänster och till höger om honom och över hans huvud, så nära att han kände vinddraget från dem. Andra flög rakt emot honom men tappade farten de sista få meterna och slog i marken bara några centimeter från honom.

Den sjunde dagen satt han stel och orörlig på sin post. När Su Kyi fick syn på honom trodde hon att han hade dött. Han var kall och vit som rimfrosten som täckte gräset framför huset mången osedvanligt kylig januaridag. Tin Wins ansikte var insjunket, kroppen var som ett tomt skal. Han såg ut som en livlös kokong. Först när hon kom närmare märkte hon att han andades, att den magra bröstkorgen hävdes likt en fisk från marknaden som flämtade efter luft i hennes kök.

Tin Win varken hörde eller såg Su Kyi. Omvärlden var insvept i en grumlig vit dimma i vilken han sakta men säkert höll på att försvinna. Hjärtat slog. Det fanns fortfarande liv i honom, men hoppet hade slocknat och det fick honom att se ut som ett lik.

Han kände två händer som rörde vid honom, som lyfte upp honom, kramade honom och bar iväg med honom.

Su Kyi tog hand om Tin Win. Hon var en kraftfull äldre kvinna med mörk röst och ett skratt där livets sorger och bedrövelser inte hade lämnat minsta spår. Hennes enda barn dog vid födelsen och hennes man dog i malaria året därpå. Efter hans bortgång blev hon tvungen att sälja det lilla huset som de hade byggt och som stod klart bara en kort tid före hans död. Sedan dess hade hon på nåder fått bo hos några släktingar. De tyckte att hon var en vresig och skrämmande gammal gumma med konstiga åsikter om liv och död. Till skillnad från alla andra tolkade hon inte in någon djupare mening i de motgångar som ödet hade haft i beredskap åt henne. Inte heller trodde hon att ogynnsamma stjärnor hade orsakat makens och barnets död. Dessa förluster visade bara att ödet var nyckfullt och att man måste acceptera detta faktum om man älskade livet. Och det gjorde hon verkligen. Hon hade inte någon användning av förutsägelser. Lyckan kunde sätta bo hos alla och envar. Det vågade hon aldrig säga högt, men alla kände till hennes åsikter och tack vare dem blev hon Tin Wins bundsförvant.

Under årens lopp hade hon ofta iakttagit honom och häpnat över hans ljusa hy, som hade samma färg som nedfallna ljusbruna pinjebarr eller eukalyptusblad. Han var mycket ljusare i hyn än föräldrarna. Hon hade sett hur Tin Win växte upp till en lång och gänglig pojke, lika skygg som ugglorna som hon så ofta hörde hoa men som hon aldrig fick syn på, en pojke som hon aldrig såg i sällskap med andra barn.

En gång hade hon stött ihop med honom i skogen. Hon var på väg till staden och han satt under ett pinjeträd och iakttog en liten grön larv som kröp över hans hand.

"Vad gör du här i skogen, Tin Win?" sa hon.

"Leker", sa han utan att titta upp.

"Varför är du ensam?"

"Jag är inte ensam."

"Var är dina kamrater?"

"Överallt häromkring. Ser du dem inte?"

Su Kyi såg sig omkring. Hon såg inte en själ.

"Nej", sa hon.

"Skalbaggarna och larverna och fjärilarna är mina vänner. Och träden. De är mina bästa vänner."

"Träden?" sa hon häpet.

"De springer aldrig sin väg. De står alltid kvar och de berättar så vackra sagor. Har inte du några vänner?"

"Det är klart att jag har", sa hon och tillade efter en stunds tystnad: "Min syster, till exempel."

"Har du inte några riktiga vänner?"

"Inga träd eller djur, om det är det du menar."

Tin Win tittade upp. Su Kyi blev rädd när hon såg på honom. Hade hon aldrig iakttagit honom ordentligt förut eller var det skogens dunkel som gjorde att han såg annorlunda ut? Ansiktet var som hugget i sten, så harmoniska men samtidigt livlösa var dragen. Sedan möttes deras blickar och han såg på henne med alldeles för sträng och allvarlig min för att vara barn och då blev hon rädd på nytt eftersom hon förstod att han visste alldeles för mycket om livet för en pojke i hans ålder. Strax därpå gled det mest vemodiga och ömsinta leende hon någonsin sett över de stenhårda dragen. (Det leendet hade hon bevarat i minnet. Det gjorde ett så starkt intryck på henne att det tog flera dagar innan hon kom över den upplevelsen. Hon såg leendet för sin inre syn om kvällen när hon slöt ögonen och på morgonen när hon vaknade.)

"Är det sant att larver förvandlas till fjärilar?" frågade Tin Win plötsligt just som hon tänkte gå.

"Ja, det stämmer."

"Vad förvandlas vi människor till?"

Su Kyi stod stilla och funderade.

"Jag vet inte."

De var tysta en stund.

"Har du sett djur gråta?" frågade han.

"Nej", sa hon.

"Träd och blommor, då?"

"Nej."

. "Det har jag. De gråter utan att fälla tårar."

"Hur kan du då veta att de gråter?"

"De ser sorgsna ut. Om man tittar noga efter ser man det."

Han reste sig och visade henne larven som han höll i handen.

"Gråter hon?" undrade han.

Su Kyi betraktade larven en stund.

"Nej", sa hon till sist beslutsamt.

"Det är rätt", sa han. "Men du gissade bara."

"Hur kan du veta det?"

Tin Win log igen men sa ingenting, som om svaret var självklart.

Under de närmast följande veckorna efter Mya Myas försvinnande tog Su Kyi hand om honom, vårdade honom väl och såg till att han återfick hälsan. När en månad hade gått utan att hans släktingar i Rangoon och Mandalay hade hört av sig flyttade hon hem till honom och lovade att hon skulle sköta om både honom och onkelns hus tills hans mor var tillbaka. Tin Win kom inte med några invändningar. Men han blev ännu mer tillbakadragen och inte ens den gladlynta och energiska Su Kyi kunde få kontakt med honom. Hans sinnesstämning växlade från dag till dag, ibland från ena timmen till den andra. Han kunde gå omkring i flera dagar utan att säga ett ord och tillbringa större delen av tiden ensam i trädgården eller i skogen intill. När kvällen kom efter en sådan dag och de satt vid brasan i köket och åt ris sänkte han huvudet och teg. När Su Kyi frågade vad han hade lekt för lekar i skogen såg han på henne med klar blick.

Nätterna var någonting helt annat. Tin Win brukade krypa över till henne i sömnen och kura ihop sig intill hennes runda, mjuka kropp. Ibland lade han armen om henne och kramade så hårt att hon vaknade.

Andra dagar tog han henne med sig ut i trädgården och i skogen och berättade för henne vad hans vänner träden talade om för honom. Han hade satt namn på allihop. Eller också kom han fram till henne med handen full av skalbaggar och sniglar eller underbara fjärilar som hade landat på hans händer och som inte flög iväg förrän han sträckte armen högt upp i luften. Djur var inte rädda för honom.

Innan han somnade på kvällen brukade han be Su Kyi att hon skulle berätta en saga för honom. Han låg orörlig och lyssnade tills sagan var slut och då sa han: "Sjung en till!" Su Kyi skrattade och sa: "Men jag sjunger ju inte."

Då svarade Tin Win: "Visst gör du det. Det låter som sång. En till, är du snäll."

Då berättade Su Kyi ännu en saga och sedan en till och hon fortsatte ända tills han somnade.

Hon misstänkte att hennes ord enbart nådde honom på det viset, när de var kodade, och att han levde i en egen värld som var stängd för henne, en värld som hon måste närma sig med försiktighet och respekt. Hon hade upplevt så mycket sorg i livet att hon insåg att hon inte kunde tvinga sig till att få tillträde till hans hemliga värld. Hon hade sett att människor blev fångar i dessa världar, fångar i sin egen ensamhet, och att de förblev inspärrade där ända tills de dog. Hon hoppades att Tin Win skulle lära sig det som hon hade lärt sig under årens lopp, nämligen att det finns sår som inte läks med tiden även om de så småningom kan bli mindre och inte göra lika ont.

Kapitel 12

Su Kyi kom inte ihåg när hon hade lagt märke till det första gången. Var det den där morgonen då hon stod framför huset? Tin Win hade stått borta vid staketet. Hon hade ropat på honom och han hade sett sig omkring och vänt huvudet åt olika håll som om han letade efter henne. Eller var det kanske några dagar senare vid middagen när de satt på huk på en trädstam invid köket och åt ris. Hon hade pekat på en fågel som satt på gräsmattan några meter ifrån dem.

"Var?" frågade han.

"Där borta, bredvid stenen."

"Aha", sa han och nickade åt fel håll.

Det verkade som om Tin Win alltid följde samma rutt i trädgården och i huset och på de närliggande ängarna och fälten och han snubblade ofta över grenar och stenar om han avvek från sin invanda stråt. När hon räckte fram en skål eller en kopp till honom sträckte han ut handen och famlade i luften mellan dem ett ögonblick som för henne tycktes pågå i en hel evighet. Om han riktade blicken mot något som låg längre bort än några meter så kisade han med ögonen. Det var som om han tittade genom den täta dimman som brukade rulla in i dalgången om morgnarna.

Tin Win visste inte ens själv när det hade börjat. Hade inte bergen och molnen vid horisonten alltid varit en smula otydliga?

Hans tillstånd tycktes ha förvärrats efter Mya Myas försvinnande. Efter ett tag kunde han inte längre se skogen från trädgården. De konturskarpa svarta silhuetterna av varje särskilt träd flöt ihop och suddades ut till ett avlägset brungrönt hav. En grå dimma svepte långsamt in läraren i skolan. Tin Win hörde lärarens röst hur tydligt som helst, som om de satt bredvid varandra, men han kunde inte längre urskilja hans ansikte – och inte heller träden eller fälten eller huset eller Su Kyi om han befann sig mer än någon meter ifrån dem.

Därför slutade Tin Win att orientera sig efter särskilda föremål i tillvaron. I stället vistades han i en värld som huvudsakligen bestod av färger. Grönt betydde skogen, rött huset, blått himlen, brunt jorden, lila bougainvillean och svart staketet runt trädgården. Men färger var inte heller att lita på. De bleknade undan för undan och till slut lade sig en grumlig vit hinna över synfältet som dolde allt utanför ett par meters radie. Världen försvann inför hans ögon, den dog som en slocknad brasa som varken skänkte värme eller ljus.

Tin Win måste erkänna för sig själv att han inte bekymrade sig särskilt mycket över de tilltagande synsvårigheterna. Han fruktade inte det eviga mörkret eller vad det nu var som skulle ersätta de bilder som hans ögon en gång hade sett. Även om han hade fötts blind skulle han inte ha gått miste om särskilt mycket, sa han sig. Han kunde inte heller föreställa sig att han skulle missa särskilt mycket om han blev fullständigt blind, vilket han så småningom blev. När han vaknade och slog upp ögonen tre dagar efter sin tioårsdag hade dimman lagt sig över allting i omvärlden.

Den morgonen låg Tin Win stilla i sängen och andades tyst in och ut. Han slöt ögonen och öppnade dem igen. Han såg ingenting. Han tittade uppåt mot det ställe där taket tills helt nyligen hade befunnit sig, men såg bara ett vitt dis. Han satte sig upp och vred och vände på huvudet åt olika håll. Var fanns träväggen med de rostiga spikarna? Fönstret? Det nötta bordet där han förvarade tigerbenet som hans far hade hittat i skogen för många år sedan? Vart han än såg var allting en formlös vit massa utan förgrund eller bakgrund eller avgränsningar. Det var som om han betraktade oändligheten.

Su Kyi låg bredvid honom, det visste han. Hon sov men skulle snart börja röra på sig. Det hörde han på hennes andning.

Det var redan ljust ute, det förstod han av fågelsången. Han reste sig försiktigt upp och trevade med tårna efter kanten på halmmattan. Han nuddade vid Su Kyis ben och klev över dem och ställde sig sedan rakt upp och ner på golvet och funderade en stund på var köket låg någonstans. Han tog några steg och hittade dörren utan att kollidera med den. Han gick in i köket, runt spisen, förbi skåpet med plåtburkarna och fortsatte ut på gårdsplanen. Han hade inte snubblat en enda gång och inte sträckt ut händerna för att känna efter var han befann sig. Han stannade till utanför dörren, kände solvärmen mot ansiktet och försjönk i tankar. Nog var det märkligt att han kunde röra sig så säkert i denna dimma, i detta ingenmansland.

Men han hade glömt träpallen. Han slog hakan i den hårda marken och skrek till när han kände att det gjorde ont i smalbenet. Han hade rivit sig i ansiktet på något och kinderna var täckta av en enda röra av saliv och blod.

Han låg blickstilla. Någonting kröp över kinden, näsan och pannan och försvann sedan in i håret. Det rörde sig för snabbt för att vara en larv. Kunde det vara en myra? Eller en skalbagge? Han visste inte vilket och så började han tyst gråta utan att fälla tårar. Precis som djuren. Han ville aldrig mer visa för någon att han grät.

Han trevade med handen över marken, lade märke till ojämnheter, nådde med fingrarna små sänkor och förhöjningar som om han utforskade jungfrulig mark. Den var så hård och full med gropar och stenar. Hur kunde han ha undgått att lägga märke till dem? Han rullade en kvist mellan tummen och pekfingret och det kändes som om han kunde se den. Skulle den synbilden och alla övriga synbilder han mindes blekna bort så småningom? Skulle han i framtiden bara se världen genom ett minnenas och fantasins fönster?

Han spände hörseln. Marken surrade och sjöng lågt, knappt hörbart.

Su Kyi lyfte upp honom.

"Pallen stod framför dig", sa hon. Det var ett påpekande och inte en anklagelse.

Hon hämtade vatten och en tygtrasa. Han sköljde ur munnen och hon tvättade av honom i ansiktet. Hennes

87

tunga andetag avslöjade att hon hade blivit förskräckt.

"Gör det mycket ont?" frågade hon.

Han nickade. Han kände den metalliska smaken av blod i saliven.

"Följ med in i köket", sa hon och reste sig upp och gick i förväg.

Tin Win satt orörlig kvar och visste inte åt vilket håll han skulle gå. En liten stund senare kom Su Kyi ut genom dörren.

"Varför kommer du inte?"

Hennes klagorop hördes ända ner till staden och i åratal efteråt talade invånarna i Kalaw om hur förskräckta alla som hörde ropen hade blivit.

Doktorn på det lilla sjukhuset vid hörnet av huvudgatan blev helt ställd. Han hade aldrig hört talas om att någon i gossens ålder kunde bli blind utan föregående trauma och helt oväntat. Han kunde bara spekulera. Det kunde knappast röra sig om en hjärntumör eftersom patienten inte led av yrsel eller huvudvärk. Det handlade kanske om en neurologisk eller medfödd sjukdom. Eftersom han inte kände till den faktiska orsaken till blindheten kunde han inte ordinera någon behandling. Det fanns inte något botemedel. Det enda man kunde hoppas på var att synen skulle komma tillbaka lika oväntat som den hade försvunnit.

Kapitel 13

Under de första månaderna gjorde Tin Win stora ansträngningar för att återerövra sin lilla värld med huset, trädgården och de omgivande fälten. Han satt i flera timmar i trädgården, vid staketet, på pinjeträdstubben, under avokadoträdet och framför vallmon och försökte ta reda på om varje plats och varje träd hade sin egen doft, precis som människor. Doftade trädgården bakom huset annorlunda än förut?

Han stegade upp sina gångbanor, beräknade avstånd och ritade kartor i huvudet över allt det som hans fötter och händer rörde vid – varenda buske, vartenda träd och varenda sten. Han ville bevara dem. Kartorna skulle fungera som hans ögon. Med deras hjälp skulle han kunna hålla den täta dimman som omgav honom i schack.

Det fungerade inte.

Dagen därpå stod ingenting där han mindes att det borde stå. Det var som om någon hade möblerat om under natten. Ingenting här i världen hade sin givna plats. Allting var i rörelse.

Doktorn hade försäkrat Su Kyi att de andra sinnena så småningom skulle kompensera för gossens förlust av synen. Blinda människor lär sig att lita på öronen, näsan och händerna och efter en tids acklimatisering och omställning lär de sig att klara sig på nytt i sin egen miljö.

I Tin Wins fall verkade fallet vara det motsatta. Han snavade över stenar som han hade känt till i åratal. Han kolliderade med träd och grenar som han tidigare hade klättrat i. Till och med inomhus sprang han rakt in i väggar och dörrposter. Om inte Su Kyi hade ropat några varnande ord skulle han ett par gånger ha klivit rakt mot spisen.

Några veckor senare höll Tin Win på att bli överkörd när han för första gången dristade sig att gå till staden. Han stod vid vägkanten och lyssnade till ljudet av en bil som närmade sig. Han hörde röster, fotsteg och en häst som frustade. Han hörde fåglar och kycklingar som kvittrade och en oxe som förrättade sitt tarv, men ingenting av detta var till nytta eller gav honom någon indikation om åt vilket håll han skulle gå. Han hade mindre användning av öronen än av näsan, som åtminstone kunde känna brandlukt och händerna som kunde förvarna honom om det fanns hinder i vägen. Det gick inte en dag utan att han fick skråmor på knäna, blåmärken på benen, bulor i huvudet och skrapade händer och armbågar.

Tin Win hade svårt i skolan med nunnorna och patern från Italien. Trots att de numera lät honom sitta längst fram och ofta frågade om han kunde följa med på lektionerna förstod han allt mindre av vad de sa. Han kände sig ensammare än någonsin i deras sällskap. Han hörde deras röster och kände deras andedräkt, men han kunde inte se dem. De stod bredvid honom på armlängds avstånd eller bara en handsbredd längre bort, men ändå kändes det som om de befann sig utom räckhåll, som om de var miltals därifrån.

Att sitta bredvid de andra barnen kändes ännu värre, ja, outhärdligt. Deras röster gjorde honom nervös och deras skratt ringde fortfarande i hans öron när han låg till sängs om natten. När barnen sprang omkring på skolgården invid kyrkan och lekte och stojade satt han som fastbunden på en bänk under körsbärsträdet och för varje steg, varje skrik, varje glädjetjut han hörde kände han hur bojorna stramade.

Su Kyi visste inte riktigt om omgivningen hade förintats framför Tin Wins ögon eller om han dolde sig långt borta från världens yra. Om det senare var fallet, hur långt tänkte han då gå? Skulle öronen så småningom sluta att fungera? Och näsan? Skulle hans smidiga, smala fingrar inte längre förnimma något utan förvandlas till stela, oanvändbara bihang? Tin Win var stark, mycket starkare än han själv förstod eller hans slanka kropp antydde. Han hade utan tvivel styrka nog att dra sig undan till världens ände. Pojken kunde med viljekraft få hjärtat att sluta slå om han så ville, precis som ögonen hade slutat se. Hon kände djupt in i själen att han en dag skulle sluta sitt liv just på det viset.

Kapitel 14

U Ba tystnade.

Hur länge hade han talat? Tre timmar? Fyra? Fem? Jag hade inte släppt honom med blicken ens för ett ögonblick, men plötsligt märkte jag att de andra gästerna hade gått. Borden var avdukade. Det var alldeles tyst, förutom de låga snarkningarna från en karl som satt bakom glasdisken med kakor. Andetagen väste och böljade som ångan som stiger ur en tekanna. Två stearinljus brann på bordet mellan U Ba och mig.

Jag märkte att jag huttrade. Resten av lokalen låg i mörker.

"Tror du mig inte, Julia?"

"Jag tror inte på sagor."

"Är det här en saga då?"

"Om du känner mig så bra som du påstår att du gör, borde det inte komma som en överraskning att jag inte tror på magi eller övernaturliga krafter eller ens på Gud. Och minst av allt på stjärnor eller astrologi. Människor som överger ett barn på grund av hur stjärnorna står vid den lilles födelse måste vara sjuka."

Jag tog ett djupt andetag. Någonting hade provocerat

mig. Jag försökte lugna ner mig. Jag ville inte att U Ba skulle se att jag var arg.

"Du har rest vida omkring, Julia, men jag har sällan lämnat hembyn. Och när jag gav mig av kom jag inte längre än till vår lilla provinshuvudstad, en dagsresa med häst och vagn. Jag gjorde min senaste utflykt för många år sedan men du har sett världen. Vem är jag att säga emot dig?"

Hans ödmjukhet gjorde mig ännu mer förargad.

"Om du säger att det är på det viset", fortsatte han, "ska jag gärna tro på att det inte finns några föräldrar i din värld som av olika skäl inte kan älska sina barn. Det är kanske bara dumma, obildade människor som beter sig på det viset och det är i så fall ännu ett bevis på vår brist på utveckling och jag kan bara be dig om fördragsamhet med detta i fortsättningen."

"Naturligtvis menade jag inte så. Men för oss handlar det inte om stjärnor."

Han såg tigande på mig.

"Jag har inte rest tiotusen mil bara för att lyssna till sagor. Var är pappa?"

"Ha lite tålamod är du snäll. Det här är berättelsen om din far."

"Ja, du påstår det. Vad har du för bevis för det? Tror du inte att vi, hans anhöriga, skulle ha fått veta om pappa hade varit blind någon gång i livet? Det skulle han ha berättat för oss."

"Är du säker på det?"

Han förstod att jag inte var det.

Jag sa åt honom att jag inte hade någon nytta av introspektion och navelskåderi. Jag var förmodligen en av ytterst få New Yorkbor som inte hade varit hos någon terapeut. Jag var inte den som sökte orsaken till alla problem i barndomen och jag hyste inte någon respekt för dem som gjorde det.

Jag upprepade att jag inte kunde tro att pappa hade varit blind vid något tillfälle under sitt liv, men ju längre jag pratade desto mindre vände jag mig till U Ba. Han lyssnade och nickade. Det verkade som om han förstod exakt vad jag menade och höll med om det jag sa. När jag hade talat färdigt ville han veta vad en terapeut var för något.

Han tog en klunk te.

"Nu måste jag tyvärr dra mig tillbaka, Julia. Jag är inte van numera vid att tala så länge. Jag är ofta tyst flera dagar i sträck. Vid min ålder finns det inte mycket kvar att säga. Jag förstår att du vill fråga mig om Mi Mi, den där kvinnan som din far skrev till. Du skulle vilja veta vem hon är och var hon befinner sig och vilken roll hon spelar i din fars liv och därmed kanske i ditt eget." Han reste sig och bugade. "Jag följer dig ut till gatan."

Vi gick mot dörren. Jag var ett helt huvud längre än U Ba, men han verkade inte liten. Tvärtom, det var jag som var för stor. Hans snabba, lätta steg fick mig att känna mig stel och klumpig.

"Hittar du tillbaka till hotellet?"

Jag nickade.

"Jag kan hämta dig där i morgon efter frukost om du vill och visa dig hur jag bor. Där kan vi vara ostörda. Jag ska visa dig några fotografier."

Han bugade och gick därifrån.

Jag hade just vänt mig om och skulle ta några steg

nedför gatan när jag hörde hans röst igen alldeles bakom mig. Han viskade: "Din far är här, Julia, han är mycket nära. Ser du honom?"

Jag snodde runt, men U Ba hade försvunnit i mörkret.

Kapitel 15

När jag kom tillbaka till hotellet lade jag mig på sängen. Jag är fyra fem år igen. Pappa sitter på sängkanten. Rummet är målat i ljusrosa. En mobil med svartvitrandiga bin hänger i det höga taket. Bredvid sängen står två fullproppade lådor med böcker, pussel och spel. I andra änden av rummet står en barnvagn där tre dockor ligger och sover. Jag har sängen full av mjukisdjur: Hopsy, en gul kanin, som ger mig chokladägg en gång om året. Giraffen Dodo med sin långa hals som jag ibland avundas honom. Chimpansen Arika som jag vet kan gå när ingen annan är i närheten. Och så har jag två dalmatinerhundar, en katt, en elefant, tre björnar och Nalle Puh.

Dolores, min älsklingsdocka med sitt toviga svarta hår, ligger i min famn. Hon saknar en hand. Min bror skar av den för att ge igen för någonting som jag hade gjort. Det är varmt, en mild sommarkväll i New York. Pappa har öppnat fönstret och en lätt bris blåser in i rummet och får bina i mobilen att dansa.

Pappa har svart hår, mörka ögon, kanelbrun hy och en stor näsa där hans kraftiga glasögonbågar vilar. De är runda och svarta. Många år senare fick jag syn på en bild av Gandhi och häpnade över hur lika de var.

Pappa lutar sig över mig, ler och drar ett djupt andetag. Jag hör hans röst, en röst som är mer än en röst. Den låter som ett musikinstrument, som en violin eller en harpa. Han var aldrig någonsin högljudd. Jag har aldrig hört honom skrika. Hans röst bar och tröstade mig. Den kunde beskydda mig och få mig att sova. Och när den väckte mig vaknade jag med ett leende på läpparna. Den kunde lugna mig som inget och ingen i hela världen ens i dag.

Ta exempelvis den gången då jag tappade balansen på min nya cykel i Central Park och föll omkull och slog huvudet i en sten. Blodet sprutade ur två gapande skärsår. En ambulans körde mig till sjukhuset på Seventieth Street. En sjukvårdare virade in mitt huvud i bandage, men blodet läckte ut genom gasväven och rann över ansiktet och nedför halsen. Jag minns sirenerna, mammas oroliga min och en ung läkare med buskiga ögonbryn. Han sydde ihop såren men de fortsatte ändå att blöda.

Strax därpå satt pappa bredvid mig. Jag hade hört hans röst i väntrummet. Han tog mig i handen, strök mig över håret och berättade en saga. Det tog inte ens en minut förrän blodet slutade rinna från huvudet. Det var som om hans röst hade lagt sig försiktigt över mina sår och täckt över dem och stillat blodflödet.

Sagorna som pappa berättade slutade sällan lyckligt. Mamma avskydde dem. Hon tyckte att de var så grymma och brutala. Pappa undrade om det inte var så med alla sagor. Jo, det höll mamma med om, men hon ansåg att pappas sagor var underliga och bisarra och saknade moral och att de var högst olämpliga för barn.

Men jag älskade dem högt, just för att de var så besynnerliga och så olika alla andra sagor och fabler som jag hade hört och läst. Sagorna som pappa berättade var burmesiska och de gav mig en sällsynt glimt av hans forna liv och gåtfulla förflutna. Det var kanske därför som jag blev så fascinerad av dem.

Min älsklingssaga var "Berättelsen om prinsen, prinsessan och krokodilen". Pappa berättade den om och om igen tills jag kunde varenda mening, vartenda ord, varenda paus och vartenda tonfall utantill.

Det var en gång en vacker prinsessa. Hon bodde på stranden vid en stor flod. Prinsessan bodde tillsammans med sin pappa kungen och sin mamma drottningen i ett gammalt slott. Det hade tjocka, höga murar och bakom dem var allting kallt och mörkt och tyst. Hon hade inga syskon och var så ensam i slottet. Hennes föräldrar sa knappt ett ord till henne. Tjänarna sa bara "Ja, ers majestät" och "Nej, ers majestät". Det fanns inte någon i slottet som hon kunde prata eller leka med. Hon kände sig fruktansvärt uttråkad och full av längtan därifrån. Hon växte upp till en ensam och sorgsen prinsessa, som inte mindes när hon senast hade skrattat. Ibland undrade hon om hon hade glömt hur man gjorde. Då tittade hon sig i spegeln och försökte le. Hon drog ihop ansiktet till en grimas. Det var inte det minsta roligt. När hon blev så ledsen att hon inte längre stod ut brukade hon gå ner till floden. Där satt hon i skuggan av ett fikonträd och lyssnade på bruset från vattnet som strömmade förbi och på fåglarna och cikadorna. Hon älskade alla tusentals små stjärnor som solskenet strödde ut över vågorna. Då blev hon en smula bättre till mods och drömde om att träffa en vän som kunde få henne att skratta.

På andra sidan floden bodde en kung som var känd i hela landet för sin stränghet. Ingen av hans undersåtar vågade dagdrömma eller lata sig. Bönderna arbetade ihärdigt på åkrarna och fälten och hantverkarna strävade oförtrutet på i verkstäderna. För att få reda på om alla undersåtar verkligen arbetade hårt skickade kungen ut sina uppsyningsmän till landets alla hörn. Om man kom på någon med att sitta ner på arbetet fick den personen tio snabba rapp med bambustaven. Kungens son var inte förskonad han heller. Prinsen var tvungen att studera från morgon till kväll, dag ut och dag in. Kungen kallade landets mest vördade lärde till slottet för att de skulle undervisa prinsen. Han tänkte göra sin son till den mest bildade prins som någonsin skådats.

Men en dag lyckades den unge prinsen smyga bort från slottet. Han satt upp på sin stridshäst och red ner till floden där han fick syn på prinsessan som satt på den andra stranden. Hon hade stuckit gula blommor i sitt svarta hår. Prinsen hade aldrig sett en vackrare flicka och han uppfylldes av en enda önskan, nämligen att ta sig över floden.

Men det fanns varken någon bro eller någon färja som gick över den strida floden. Kungarna på ömse sidor om floden var fiender och hade förbjudit sina undersåtar att beträda motståndarens rike. Den som satte sig över förbudet fick plikta med sitt liv. Inte nog med det, floden var full med krokodiler som ivrigt väntade på att en fiskare eller en bonde skulle våga sig ner i vattnet.

Först tänkte prinsen simma över floden, men vattnet nådde honom knappt till knäna förrän krokodilerna kom simmande med käftarna på vid gavel. Prinsen hann med nöd och näppe tillbaka till stranden. Men om han inte kunde tala med prinsessan kunde han i alla fall se på henne.

Hädanefter begav han sig i hemlighet till floden varenda dag och väl där satte han sig på en sten vid stranden och såg längtansfullt bort mot prinsessan. På det viset gick veckor och månader ända tills en av krokodilerna en dag simmade fram till honom.

"Jag har iakttagit dig en längre tid, dyre prins", sa krokodilen. "Jag förstår att du är djupt olycklig och jag känner medlidande med dig. Jag vill gärna hjälpa dig."

"Men hur skulle du kunna hjälpa mig?" frågade prinsen förbluffat.

"Sätt dig på min rygg så tar jag dig med till stranden mitt emot."

Prinsen såg avvaktande på krokodilen.

"Det är bara ett knep", sa han. "Ni krokodiler är glupska och rovgiriga. Hittills har ni aldrig låtit en människa komma levande upp ur vattnet."

"Alla krokodiler är inte lika", sa krokodilen. "Lita på mig."

Prinsen tvekade.

"Lita på mig", sa krokodilen igen.

Prinsen hade inte något val. Om han ville träffa den vackra prinsessan måste han förlita sig på krokodilen. Han klättrade upp på dess rygg och den förde honom till stranden mitt emot precis som den hade lovat.

Prinsessan kunde knappt tro sina ögon när prinsen plötsligt stod framför henne. Hon hade ofta iakttagit prinsen och hade i hemlighet hoppats att han till slut skulle komma på ett sätt att ta sig över floden. Prinsen var förlägen och visste inte vad han skulle säga. Han stammade och blandade ihop orden i meningarna och snart brast de i skratt bägge två. Och prinsessan skrattade så som hon inte hade gjort på länge. När det blev dags för prinsen att ge sig av blev hon väldigt ledsen och bönföll honom att stanna.

"Det kan jag inte", sa prinsen. "Min far kommer att bli mycket vred om han får reda på att jag har varit tillsammans med dig. Han skulle säkert låsa in mig och då skulle jag aldrig mer kunna ta mig ner ensam till floden igen. Men jag lovar att komma tillbaka."

Den snälla krokodilen bar prinsen på ryggen tillbaka över floden.

Dagen därpå väntade prinsessan ivrigt på prinsen. Hon hade nästan gett upp hoppet när hon med ens fick syn på prinsen som kom ridande på sin vita springare. Krokodilen var också på plats och erbjöd troget sina tjänster. Från den dagen träffades prinsen och prinsessan varje dag.

De andra krokodilerna blev rasande. En dag hindrade de krokodilen och prinsen mitt i floden så att de inte kom vidare. "Ge honom till oss, ge honom till oss!" skrek de, öppnade gapen på vid gavel och nafsade efter prinsen.

"Lämna oss ifred", röt den stora krokodilen och sam nedför floden så snabbt den kunde. Men strax därpå var den omringad av de andra. "Kryp in i min mun", ropade krokodilen till sin människovän. "Där är du trygg." Den spärrade upp gapet så mycket den kunde och prinsen kravlade in. De andra krokodilerna släppte dem inte ur sikte för ett ögonblick. Vart de än begav sig följde de andra efter och väntade och väntade. Prinsen måste ju krypa ut till slut.

Men den snälla krokodilen var tålmodig och efter många timmar gav de andra krokodilerna så småningom upp och simmade därifrån. Krokodilen kröp upp på stranden och öppnade gapet. Prinsen rörde sig inte. Krokodilen skakade på sig och ropade: "Spring härifrån, min vän, spring så fort du kan!"

Men prinsen rörde fortfarande inte på sig.

Då ropade prinsessan från den andra stranden: "Kom ut, dyre prins!"

Men det tjänade ingenting till, för prinsen var död. Han hade kvävts till döds i sin gode väns gap.

När prinsessan förstod vad som hade hänt föll hon till marken och dog av brustet hjärta.

De bägge kungarna beslöt oberoende av varandra att barnen inte skulle begravas utan i stället brännas på flodstranden. Av en slump råkade det bli så att de bägge ceremonierna hölls samma dag och vid samma klockslag. Kungarna förbannade och hotade varandra och anklagade varandra för barnens död.

Det dröjde inte länge förrän flammorna dånade och de döda kropparna stod i brand. Med ens började likbålen pyra. Dagen var vindstilla och två stora mäktiga rökplymer steg rakt upp mot himlen. Plötsligt blev det alldeles tyst. Bålen slutade knastra och slocknade utan ett ljud. Floden slutade klucka och porla. Till och med kungarna tystnade.

Sedan började djuren sjunga. Krokodilerna började.

"Men krokodiler kan inte sjunga", invände jag varje kväll när vi hade kommit till detta avsnitt av sagan.

"Visst kan de", sa pappa lågt. "Krokodiler sjunger om man tillåter dem att göra det. Bara man är tyst så hör man dem."

"Hur är det med elefanterna?"

"De sjunger de också."

"Och vilka sjöng sedan då?"

"Ormarna och ödlorna. Hundarna sjöng, och sedan katterna, lejonen och leoparderna. Elefanterna stämde in och hästarna och aporna. Och fåglarna, naturligtvis. Djuren sjöng i kör, vackrare än de någonsin tidigare hade sjungit och plötsligt, ingen vet varför, drev de bägge rökpelarna långsamt i riktning mot varandra. Ju högre och klarare djurens sång ljöd, desto närmare drev rökpelarna samman ända tills de tu till sist omfamnade varandra och blev till ett, så som bara älskande kan."

Jag slöt ögonen och hörde mina djur och tänkte: Pappa har rätt. De kan sjunga. De nynnar mig stilla till sömns.

Mamma tyckte inte om den här sagan eftersom den inte slutade lyckligt. Pappa tyckte att den absolut gjorde det. Så djup var sprickan mellan dem.

Själv blev jag aldrig riktigt säker på vad som var det rätta svaret.

Andra delen

Kapitel 1

Nattens tystnad var rena tortyren. Jag låg i hotellsängen och längtade efter hemtama, välkända ljud. Bilar som tutade. Ambulanssirener. Rapmusik och röster från teven i grannlägenheten. Plingandet från hissen. Men här hördes inte ett ljud. Inte ens en trappa som knarrade eller fotsteg från andra gäster i korridoren.

En stund senare hörde jag U Bas röst. Som en osynlig inkräktare vandrade den runt i rummet och talade till mig från skrivbordet och skåpet och lät sedan som om den kom från sängen bredvid min. Jag kunde inte få hans historia ur tankarna. Jag funderade på Tin Win. Inte ens på några timmars avstånd kunde jag se pappa i honom. Men vad gjorde väl det? Vad vet vi egentligen om våra föräldrar och vad vet de om oss? Och om vi inte ens känner de personer som vi har levt med sedan födelsen – vi inte dem och de inte oss – vad vet vi då om någon över huvud taget? Utifrån den synvinkeln får man väl anta att vem som helst är kapabel till vad som helst, till och med de skändligaste brott.

Vad och vem och vilka sanningar kan man egentligen lita på? Finns det några människor som man obetingat kan lita på? Existerar sådana människor?

Inte ens under sömnen fick jag ro. Jag drömde om den där Tin Win. Han hade ramlat omkull, drabbad av blindhet, och låg gråtande på marken framför mig. Jag tänkte lyfta upp honom och lutade mig över honom, men trots att han var så liten till växten var han otroligt tung. Jag grep tag i hans händer och drog. Jag lade armarna om hans barnakropp, men jag kunde lika gärna ha försökt lyfta en tjur av järn. Jag ställde mig på knä bredvid honom, som om han hade blivit skadad vid en bilolycka och låg blödande vid vägkanten. Jag sa några tröstande ord till honom och försäkrade att hjälpen var på väg. Han bönföll mig om att jag inte skulle gå, att jag inte skulle lämna honom ensam. Plötsligt stod pappa bredvid oss. Han lyfte upp pojken och viskade något i örat på honom. När Tin Win låg i pappas famn tröstade han sig äntligen. Han lutade huvudet mot pappas axel, snyftade och somnade. De vände sig bort från mig och gick därifrån.

När jag vaknade var luften varm och doftade sött, som nygjord sockervadd. Jag hörde insekter som surrade och rösterna från två män som samtalade nedanför mitt fönster. När jag ställde mig upp värkte det i vaderna men jag mådde betydligt bättre än dagen innan. Jag hade sovit länge och det hade gjort mig gott. Den varma morgonen gjorde kallvattnet i duschen uthärdligt. Till och med kaffet smakade bättre och var varmare än det hade varit i går. Jag kände mig åter målmedveten och för ett ögonblick till och med redo att börja söka efter Mi Mi, men någonting avhöll mig från detta. Det var U Bas berättelse. Den hade förtrollat mig.

Jag satt alldeles stilla utanför hotellet och iakttog en gammal man som klippte gräset med en stor trädgårdssax. Vallmor bredde ut sig bland freesior, gladiolus och klargula orkidéer i rabatterna. Ovanför dem välvde sig hibiskusar med grenarna fulla av hundratals röda, vita och rosa blommor. Mitt på gräsmattan stod ett päronträd. Vita blomblad låg utströdda på gräset under det. En bit längre bort stod två palmer och ett avokadoträd som dignade av frukt. I trädgården fanns även bönor, ärter, rädisor, morötter, jordgubbar och hallon.

U Ba kom och hämtade mig några minuter över tio. Jag såg honom redan på långt håll. Han gick gatan fram, hälsade på en cyklist och gick in genom trädgårdsgrinden. För att underlätta stegen lyfte han med bägge händerna upp sin longyi en bit, precis som när en kvinna i långkjol kliver över en vattenpöl. Han mötte mig med ett leende och blinkade konspiratoriskt, som om vi hade känt varandra i åratal och som om det inte hade varit dålig stämning mellan oss när vi skildes åt under gårdagen.

"God morgon, Julia. Har nattvilan varit god?"

Jag log åt hans gammaldags sätt att uttrycka sig.

"Å, dina ögon strålar så vackert! Precis som din fars. De fylliga läpparna och de vita tänderna är också ett arv efter honom. Ursäkta mig, här står jag och pratar. Det beror inte på enfald utan på att du är så vacker."

Hans komplimanger gjorde mig generad. Vi gick ut på gatan och fortsatte på en stig som ledde ner till floden. Växterna vid kanten av stigen blommade lika yppigt som i hotellets trädgård. Vi vandrade förbi dadelpalmer, mangoträd och höga gröna plantor fulla med små gula bananer. Den varma luften doftade av mogen frukt och nyutspruckna jasminblommor.

Nere vid floden stod en skara kvinnor till knäna i vatten och tvättade kläder och sjöng medan de arbetade. De lade de urvridna skjortorna och en mängd longyis på tork på klipporna i solen. Några av dem hälsade på U Ba och iakttog mig nyfiket. Vi gick över en liten träbro, klättrade uppför en jordvall på andra sidan floden och vandrade vidare uppför en brant stig. Kvinnornas sång följde oss ända upp till kullens krön.

Av någon anledning blev jag på helspänn när jag såg vyn över dalen med bergstopparna i bakgrunden. Det var något med det vykortsvackra sceneriet som inte stämde. Sluttningarna var endast sparsamt bevuxna med späda pinjeträd. Mellan träden fanns brunt, bränt gräs.

"En gång i tiden såg man inte annat än täta pinjedungar härifrån", sa U Ba, som om han hade läst mina tankar. "På sjuttiotalet kom japanerna och högg ner träden."

Jag fick lust att fråga varför de hade tillåtit det och om inte någon hade protesterat, men beslöt att hålla tand för tunga.

Vi vandrade vidare, förbi gamla förfallna engelska herresäten och eländiga fönsterlösa hyddor vars skeva väggar var flätade av gräs och torkade blad. När vi äntligen gjorde halt var det framför ett av de få husen av trä. Det var byggt av teak, som nästan var svart i färgen, hade tak av korrugerad plåt och en långsmal veranda och stod på pålar en och en halv meter över marken. En gris rotade omkring under huset. Kycklingar sprang lösa på gården.

U Ba ledde mig uppför verandatrappan och in i ett stort rum med fyra fönster utan glas. De nötta möblerna verkade vara från kolonialtiden. Spiralfjädrar stack upp ur sitsen på en brun läderfåtölj som stod bredvid två trådslitna soffor, ett soffbord och ett skåp i mörkt trä. På väggen ovanför fåtöljen hängde en oljemålning som föreställde Towern i London.

"Slå dig ner. Jag ska laga lite te", sa U Ba och försvann.

Jag tänkte just sätta mig när jag hörde ett besynnerligt surrande ljud. En liten bisvärm flög tvärs över rummet från ett av fönstren till det öppna skåpet och tillbaka. Inte förrän då fick jag syn på boet som hängde på översta hyllan. Det var stort som en fotboll. Jag drog mig försiktigt tillbaka till ett annat hörn av rummet, satte mig ner och förblev blickstilla.

"Hoppas att du inte är rädd för bin", sa U Ba när han kom tillbaka med en tekanna och två koppar.

"Bara för getingar", ljög jag.

"Mina bin kan inte stickas."

"De har inte stuckit någon ännu menar du väl."

"Det är väl samma sak?"

"Vad gör du med honungen?"

"Vilken honung?"

"Den som kommer från bina."

U Ba såg på mig. "Den skulle jag aldrig röra. Den tillhör ju bina."

Jag följde vaksamt binas framfart. Menade han allvar? "Varför tar du inte bort boet då?"

Han skrattade. "Varför skulle jag köra iväg dem? De gör inte mig något ont. Tvärtom, jag känner mig hedrad över att de har valt mitt hus. Vi har levt tillsammans i god sämja i fem år. Vi burmeser tror att bin bringar lycka."

"Är det sant?"

"Ett år efter det att bina hade flyttat hit kom din far tillbaka. Och nu sitter du här mitt emot mig."

Han log och hällde upp te.

"Var var vi när vi blev tvungna att avbryta berättandet? Tin Win hade blivit blind och Su Kyi försökte få tag i någon som kunde hjälpa honom. Det stämmer, eller hur?"

Kapitel 2

Regnet smattrade mot taket av korrugerad plåt. Det lät som om huset höll på att rasa samman under en skur av stenar. Tin Win hade dragit sig tillbaka i en vrå längst in i köket. Han tyckte inte om störtregn. Regndropparnas trummande mot taket dånade alldeles för högt och han blev nervös av att regnet vräkte ner från skyn med sådan våldsam kraft. Han hörde Su Kyis röst, men regnet dränkte hennes ord.

"Var är du någonstans?" ropade hon gång på gång och stack in huvudet genom köksdörren. "Kom nu, skynda på. Det slutar snart att regna."

Su Kyi hade rätt som hon nästan alltid hade vad vädret beträffade. Hon påstod att hon kände av när det skulle bli oväder och tropiska skyfall – i magen, men framför allt i öronen, som först blev varma och sedan kittlade det och därpå kliade det något hemskt alldeles innan de första regndropparna föll. Tin Win hade för länge sedan slutat tvivla på hennes väderprognoser. Knappt två minuter senare stod de utanför huset. Det hade slutat regna och det enda som hördes var regnvattnet som droppade från taket och bladen och som forsade i vild fart genom diket på andra sidan gården.

Su Kyi tog honom i handen. Det var halt på marken och gyttjan sipprade fram mellan tårna på honom vid varje steg. Det var fortfarande tidigt på morgonen, klockan var bara lite över sju. Solen bröt fram mellan molnen och lyste milt på hans ansikte, men snart skulle den sveda hans hud och få vita moln av ånga att stiga ur marken och få själva jorden att svettas. De klev mödosamt fram genom gyttjan förbi skjul som ekade av morgonens alla ljud: skramlet av plåtkärl och av barn som grät och hundar som skällde.

Su Kyi tänkte ta med sig Tin Win till ett kloster i staden som förestods av en munk vid namn U May. Hon hade känt honom länge och trodde att han skulle kunna hjälpa dem. U May var den ende som Su Kyi litade på, hon kände på sig att han var en själsfrände. Om det inte hade varit för honom skulle hon inte ha orkat leva vidare när hennes man och dotter hade gått bort. U May var gammal, han var nog över åttio, hon visste inte riktigt. Han hade blivit blind för några år sedan och därefter hade han varje morgon undervisat en liten skara barn i trakten. Su Kyi hoppades att han skulle ta Tin Win under sina vingars skugga och locka ut gossen ur mörkret som belägrade honom och att han skulle lära Tin Win det som han hade lärt henne, nämligen att livet och lidandet är sammanvävda. Och att sjukdomar är oundvikliga i livet och att det gäller oss alla utan undantag. Att vi kommer att åldras och att vi inte kan undslippa döden. U May hade förklarat för henne att detta var de lagar och villkor som gällde för människans existens. Lagarna kunde tillämpas på alla människor överallt i världen, oberoende av om tiderna skulle ändras dramatiskt. Det fanns ingen, förutom man själv, som kunde befria en människa från smärta eller från den sorg man kan känna vid denna insikt. Men trots allt hade U May gång på gång sagt till henne att livet är en gåva som man inte får ringakta. Han förklarade för henne att livet är fullt av gåtor, där lycka och lidande är oupplösligt förenade. Alla försök att få det ena men slippa det andra var dömda att misslyckas.

Klostret låg på en tvärgata till huvudgatan. Det omgavs av en hög stenmur bakom vilken det låg sex små vita pagoder som var prydda med guldbjällror och färgglada vimplar. Som skydd mot översvämningar var klostret byggt på pålar drygt tre meter över marken. Under årens lopp hade ett antal uthus vuxit upp runt huvudbyggnaden. Mitt i alltihop stack ett fyrkantigt torn upp som smalnade av i sju trappstegsvis ordnade varv och avslutades med en gyllene spira som syntes vida omkring. Husväggarna var av furu, som hade mörknat till en brun nyans i solen, och taken var täckta med svarta träspån. I halvmörkret mitt emot ingången stod en väldig buddhastaty av trä. Den var överdragen med bladguld och nådde nästan upp till taket. Nedanför statyn stod några bord som var fyllda med offergåvor: te, blommor, bananer, mango och apelsiner. På väggen bakom buddhastatyn hängde hyllor med mängder av små guldglänsande buddhafigurer. Många av dem var insvepta i gula klädnader och andra höll i parasoller av rött, vitt eller guldfärgat papper. Men Tin Win kunde förstås inte se något av detta.

Su Kyi och Tin Win gick hand i hand över den stora

gårdsplanen bort till den mittersta trappan. De gick förbi två munkar som sopade den fuktiga marken med stora sopkvastar. Mörkröda munkkåpor hängde på tork på en tvättlina. Det luktade rök och sprakade i luften av brinnande ved.

U May satt orörlig med benen i kors och de smala händerna knäppta i knät på ett podium längst bort i vestibulen. På ett lågt bord framför honom stod en tekanna, en liten kopp och en tallrik med rostade frön. Huvudet var renrakat. De djupt liggande ögonen var halvslutna. Kinderna var tunna men inte insjunkna. Su Kyi blev häpen varje gång hon såg honom. Hon tyckte att hans ansiktsdrag såg så öppna och nakna ut. Han var mager och rynkig, men inte utmärglad och hopskrumpen. Ansiktet var uppenbarligen hans själs spegel. Där fanns inga spår av några utsvävningar.

Su Kyi mindes så väl den första gången hon såg U May. Han hade kommit från huvudstaden med tåget och stod utanför stationen. Det var för drygt tjugofem år sedan. Hon skulle till marknaden. Han var barfota och log mot henne. Redan då blev hon berörd när hon såg hans ansikte. Han frågade henne om vägen. Av ren nyfikenhet följde hon med honom hela långa vägen till klostret. De började prata med varandra medan de gick och på det viset började deras vänskap. Under de följande åren berättade U May ibland för henne om sin barndom och ungdom och om hur han hade levt innan han blev munk. Det var inte mycket att gå på, bara några skärvor till historier som Su Kyi samlade ihop och ur vilka en motsägelsefull bild långsamt tonade fram.

U May kom från en förmögen familj som ägde en

mängd riskvarnar i Rangoon. Familjen tillhörde den indiska minoriteten som hade kommit till Burma efter den engelska annekteringen av deltat 1852. Hans far var hetlevrad och auktoritär, en riktig patriark, och fruktad av de övriga familjemedlemmarna på grund av sina våldsamma vredesutbrott. Barnen undvek honom och hustrun drog sig undan och sa sig lida av sjukdomar som inte ens de brittiska läkarna i Rangoon kunde diagnostisera. När deras tredje barn kom till världen tröttnade fadern på sin ständigt sjuka hustru och skeppade iväg henne och de två yngsta barnen till släktingar i Calcutta. Han påstod att läkarvården var utmärkt där. Eftersom U May var äldste sonen i familjen var det meningen att han skulle driva familjeföretaget vidare en dag och därför blev han tvungen att bo kvar hos fadern, som snart skulle ha glömt resten av familjen om han inte hade fått brev från Calcutta var och varannan månad där han kunde läsa om hustruns remarkabla tillfrisknande och att hon med det snaraste tänkte resa hem – vilket gjorde U May strålande glad. Men åren gick och breven kom alltmer sällan och till sist insåg U May att han hade sett modern och syskonen för sista gången när han som sjuåring hade stått på kajen i Rangoons hamn och tittat efter fartyget som stävade mot Indien.

Så kom det sig att han blev uppfostrad av barnsköterskor och tjänstefolk i huset och då framför allt av kokerskan och trädgårdsmästaren, som han hade sökt sig till ända sedan han kunde stå på benen. U May var en stillsam och tystlåten pojke som ägde en sällspord förmåga att gissa sig till andras önskningar och han försökte efter bästa förmåga att uppfylla dem.

På den tiden tyckte U May mest om att leka i trädgården. I en avlägsen vrå gjorde trädgårdsmästaren i ordning en liten täppa åt honom som han träget och hängivet vårdade. När fadern fick höra talas om detta såg han till att alla växter drogs upp med rötterna och att jorden grävdes upp. Trädgårdsskötsel var till för tjänare. Och flickor.

U May accepterade faderns tilltag utan ett ord till protest, precis som han accepterade och följde faderns order i övrigt till punkt och pricka ända till den dag – han var ännu inte fyllda tjugo år – då fadern meddelade att U May skulle förlova sig med dottern till en redarmagnat. Förbindelsen skulle gynna både affärerna och familjerna. Strax därpå fick fadern veta att U May hade ett förhållande med Ma Mu, kokerskans dotter. Händelsen i sig bekymrade honom inte särskilt, sådant hände. Det skulle rentav ha varit möjligt att hitta en lösning till problemet med att den sextonåriga flickan var gravid. Men sonen hävdade att han älskade henne och det var både löjligt och oförlåtligt. När fadern fick höra detta gapskrattade han så det dånade i huset en lång stund. I åratal efteråt svor trädgårdsmästaren på att hundratals blommor hade vissnat vid oljudet.

U May förklarade rakt på sak för sin far att han under inga omständigheter tänkte gifta sig med den unga kvinna som hade valts ut åt honom. Senare samma dag skickade fadern iväg kokerskan och hennes dotter till en affärsbekant i Bombay och vägrade berätta för sonen vart de hade tagit vägen. U May for hemifrån och började leta efter dem. Under de närmast följande åren reste han oupphörligt kors och tvärs genom de brittiska

kolonierna i Sydostasien. En gång trodde han att han
såg Ma Mu eller åtminstone hörde hennes röst. Det var
i hamnen i Bombay strax innan han gick ombord på ett
ångfartyg till Rangoon. Han tyckte att någon ropade
hans namn, men när han vände sig om såg han bara
okända ansikten och längre bort i hamnen stod en skara
män och gestikulerade upprört. Ett barn hade ramlat i
vattnet.

U May blev alltmer desperat och förtvivlad när måna-
derna gick utan att han fick upp minsta spår efter Ma
Mu och hennes mor. Vreden var vag och obestämd. Den
ägde varken mål eller motiv och riktades huvudsakligen
mot honom själv. Han började dricka, besökte bordel-
lerna mellan Calcutta och Singapore och tjänade mer på
en månad i opiumbranschen än hans far gjorde på ett år,
men förlorade sedan alla pengar på spel och dobbel. På
en resa mellan Colombo och Rangoon lärde han känna
en udda och pratsam rishandlare som en kväll på däck
berättade om sin före detta kokerska från Burma vars
dotter och dotterson tragiskt hade omkommit. De hade
fallit i vattnet och drunknat i hamnen när den unga kvin-
nan försökte hinna ifatt en man som just klev ombord
på ett passagerarfartyg. Enligt ögonvittnen hade hon
felaktigt trott att han var en bekant från Rangoon. Efter
detta hade kokerskans mat blivit oätlig och rishandlaren
hade inte något annat val än att avskeda henne.

U May berättade inte för vare sig Su Kyi eller någon
annan vad han gick igenom den natten. När fartyget
anlöpte Rangoon lämnade han bagaget ombord och
gick direkt från hamnen till Shwegyinklostret vid foten
av Shwedagonpagoden. Han tillbringade några år där

och sedan reste han till Sikkim, Nepal och Tibet för att få undervisning i Buddhas läror av en rad berömda munkar. Han bodde i drygt tjugo år i ett litet kloster i Darjeeling i Indien men sedan beslöt han sig för att resa till Ma Mus födelseort Kalaw. Det unga älskande paret hade drömt om Kalaw vid sina hemliga möten i källaren, i den vidsträckta trädgården och i tjänarnas rum. De planerade att fly dit med sitt barn. Efter separationen, när U May rastlöst färdades från det ena stället till det andra, vågade han emellertid inte bege sig till Kalaw. Men nu kände han att tiden var mogen. Han var över femtio och det var i Kalaw som han ville dö.

Tin Win följde med Su Kyi genom vestibulen och när de kom fram till U May ställde de sig hand i hand framför honom och sedan knäböjde de. Tin Win släppte taget om hennes hand och så bugade de så djupt att händerna och pannorna nuddade vid golvet.

Den gamle U May lyssnade uppmärksamt medan Su Kyi berättade vad Tin Win hade råkat ut för. Då och då vaggade han en smula med överkroppen och upprepade enstaka ord. När hon hade berättat klart var han tyst en lång stund. Till sist vände han sig till Tin Win, som hela tiden hade suttit hopkrupen bredvid Su Kyi utan att säga något.

U May började tala, långsamt och korthugget. Han beskrev munkarnas tillvaro, de som varken ägde något hem eller några tillhörigheter förutom klädnaden och en thabeik, en skål som de bar med sig när de samlade in gåvor. Han berättade att noviserna vandrade omkring på gatorna varje morgon efter soluppgången och stod tysta utanför ett hus eller hejdade sig utanför en port och tacksamt tog emot de gåvor de fick. Han skildrade hur han med hjälp av en yngre munk lärde sina elever att läsa, skriva och räkna. I själva verket var hans huvudsakliga mål att föra vidare den lärdom som livet hade gett honom, nämligen att den dyrbaraste skatt en människa äger är den visdom som hjärtat bär.

Tin Win knäböjde orörlig framför den gamle och lyssnade intensivt till varje ord. Men det var inte orden eller meningarna i sig som fascinerade honom utan rösten. Den var mild, nyansrik, melodiös och harmonisk som den stilla klockringningen i klostrets torn där det bara behövdes en lätt vindil för att klockorna skulle klinga. Rösten påminde Tin Win om fågelsången i gryningen och om Su Kyis lätta och regelbundna andetag när hon låg och sov bredvid honom. Han hörde inte bara U Mays röst utan kände den på huden, som om den hade förvandlats till två händer. Helst av allt ville han överlämna sig med kropp och själ till den här rösten. Då hände någonting, som skulle inträffa ofta i framtiden: Tin Win såg ljuden för sig – han såg dem som rök som stiger upp i luften från en brasa och sprider sig i rummet och svävar av och an i små vågor som om en osynlig hand rörde vid dem, de dansade och ringlade omkring för att så småningom upplösas.

På hemvägen sa Tin Win och Su Kyi inte ett ord till varandra. Han höll henne i handen. Den var mjuk och varm.

Tin Win var orolig när han morgonen därpå före soluppgången var på väg till klostret. Han skulle tillbringa de närmast följande veckorna hos munkarna. Han skulle få en klädnad och skulle sedan gå ut tillsammans med de andra noviserna och samla in allmosor i trakten. Blotta tanken härpå gjorde honom illamående och hans rädsla blev allt större för varje steg han tog. Hur skulle han kunna hitta i staden när han knappt kunde gå några meter ens på välkänd mark utan att snubbla? Han bad att Su Kyi skulle låta honom vara, att hon skulle lämna honom ifred. Helst av allt ville han stanna hemma på sin sovmatta eller på pallen i köksvrån för det var bara där som han kände sig trygg eller åtminstone ohotad.

Men det gick inte att övertala henne. Tin Win följde motvilligt med och drog fötterna efter sig hela vägen ner till staden. Su Kyi tyckte att det kändes som om hon ledde ett envist djur. Plötsligt stannade de och stod blickstilla när de hörde barnen som sjöng i klostret. Rösterna gjorde Tin Win lugn. Det kändes som om någon smekte honom över kinden och magen och lindrade hans oro. Han stod blickstilla och bara lyssnade. Det stilla prasslandet från bladen i trädkronorna blandades med rösterna. Men det var mer än bara ett stilla prasslande. Tin Win förstod att bladen precis som människornas röster alla hade sin egen karaktäristiska timbre. Precis som med färger fanns det olika nyanser av prasslandet. Han hörde tunna kvistar som gneds av och an och blad som ströks mot varandra. Han hörde enstaka blad som föll lätt till marken framför honom. Till och med när bladen virvlade genom luften märkte han att det inte fanns några blad som lät likadant. Han hörde insekternas surrande, vinden som ven, fåglarnas pipande och kvittrande och lövkronorna som susade och brusade.

Plötsligt fick han en omtumlande idé. Kunde det jämsides med den värld som var fylld av färg och form finnas en hel värld av röster, läten, ljud och toner? Ett fördolt känslornas rike som fanns runtom oss men som för det mesta var onåbart för oss? En värld som kanske var gladare och gåtfullare än den synliga världen?

När Tin Win många år senare för första gången satt i en konsertsal i New York och orkestern började spela kom han att tänka på den här stunden. Han blev som berusad av lycka när han hörde de låga trumslagen i bakgrunden som inledde stycket och sedan stämde violiner, altvioliner, celli, oboer och flöjter in. Alla gjorde sin stämma hörd, precis som trädens blad den där sommarmorgonen i Kalaw. Till en början hördes varje instrument var för sig och sedan i kör och detta överväldigade honom så mycket att han började svettas och tappade andan.

Su Kyi knuffade honom med sig mot klostret och genom musiken och han raglade fram som en drucken bredvid henne. En liten stund senare försvann alla intryck lika snabbt som de hade kommit. Han hörde sina egna fotsteg och Su Kyis flämtande andetag, kören och tupparnas galande – men ingenting annat. Men han hade för första gången fått njuta av livet, och den upplevelsen var så stark att det gjorde ont inombords, ja, ibland var smärtan nästan outhärdlig.

Kapitel 3

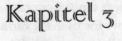

När de kom fram till klostret började det dagas. U May satt omgiven av äldre munkar och mediterade i vestibulen. En ung munk var uppflugen på en pall i köket i färd med att bryta itu torra grenar. Runt honom skuttade två hundar glatt omkring. Tolv noviser i röda klädnader och med nyrakade huvuden stod på rad bredvid trappan. De hälsade på Tin Win och gav Su Kyi en mörkröd klädnad som han skulle ha. Hon draperade den runt hans smärta kropp. Kvällen innan hade hon rakat av honom håret och när hon såg honom stå där bland de andra noviserna konstaterade hon åter att han var en vacker pojke och lång för sin ålder. Bakhuvudet var särpräglat. Han hade en smal hals, en markant men inte särskilt lång näsa och tänder som var lika vita som blommorna på päronträdet framför hennes hus. Huden var ljust kanelbrun. Trots att han hade ramlat omkull och skrapat sig så ofta hade han bara två ärr på knäna. Händerna var smala och fingrarna långa och eleganta. Man skulle inte ha kunnat ana att han aldrig hade haft ett par skor på fötterna.

Trots att Tin Win var lång tyckte hon att han påminde

om en sårbar liten kyckling som förskräckt sprang över stallplanen. Hon blev rörd när hon betraktade honom men hon tänkte inte tycka synd om honom. Hon ville hjälpa honom – och medömkan lände ingenvart.

Su Kyi tyckte att det var svårt att lämna Tin Win, om så bara för några veckor, men U May hade lovat att ta hand om honom ett tag. U May trodde att det skulle göra Tin Win gott att umgås med de andra pojkarna. Den gemensamma meditationen, lektionerna, lugnet och de klara reglerna och arbetsgången i klostret skulle göra honom tryggare och mer självsäker.

Noviserna drog in Tin Win mitt i skaran och tryckte en svart skål i ena handen på honom och en bambustav i den andra. Pojken som stod framför honom i raden pressade ena änden av staven under armen. På så vis tänkte de leda runt Tin Win. Strax därpå började de gå på rad med små försiktiga steg för att även den blinde Tin Win utan svårighet skulle kunna följa med. Noviserna marscherade ut genom porten och svängde sedan av till höger och fortsatte långsamt i riktning mot huvudgatan. Trots att Tin Win inte märkte det anpassade de sig till hans tempo och gick snabbare när han ökade farten och saktade in när han osäkert hasade fram. Utanför nästan varje hus stod en man eller en kvinna med en skål ris eller grönsaker som de tidigt på morgonen hade lagat till munkarna och noviserna. Processionen gjorde halt gång på gång medan välgörarna fyllde novisernas skålar under ödmjuka buganden.

Tin Win höll ett fast grepp om skålen och bambustaven. Han var van vid att vandra över fälten med en lång käpp i handen när han var ensam ute och gick. Han brukade svänga den av och an framför sig som en utsträckt arm och undersöka marken på jakt efter hjulspår, trädgrenar och stenar. Men bambustaven som han nu höll i handen var inte något substitut för hans egen käpp. Den här staven gjorde honom beroende av novisen som han hade framför sig. Tin Win blev nervös av att vara ute och gå utan att ha Su Kyi som sällskap. Han saknade hennes hand, hennes röst och hennes skratt. Munkarna och noviserna var så tysta. Bortsett från ett försynt tack för maten som lades i skålarna sa de inte något och tystnaden gjorde honom illa till mods. Efter bara någon timme märkte Tin Win att hans nakna fötter rörde sig allt självsäkrare på den sandiga marken. Han hade inte snubblat. Han hade inte ramlat omkull. Han hade inte tappat balansen vid guppen och hålen i gatan. Händerna blev mer avslappnade. Stegen blev längre och snabbare.

När munkarna och noviserna kom tillbaka till klostret hjälpte de Tin Win uppför verandatrappan. Den var smal och brant och saknade ledstång och Tin Win önskade att han hade kunnat gå uppför den själv. Men två munkar tog honom i händerna och en tredje höll ordentligt tag i honom bakifrån och så lärde sig Tin Win att gå uppför trappan steg för steg.

De satte sig på huk på golvet och åt riset och grönsakerna. Elden sprakade i spisen och på den stod en sotig och medfaren kastrull med kokande vatten. Tin Win satt mitt bland munkarna. Han var trött men inte hungrig. Han kunde inte avgöra vad som hade varit mest ansträngande: den långa vandringen eller att ha varit tvungen att lita på novisen framför sig. Han var så utmattad att han knappt orkade följa med under U Mays lektion och när de skulle meditera på eftermiddagen somnade han och väcktes av de andras glada skratt.

Inte förrän Tin Win låg vaken på natten mindes han de underbara ljuden som han hade hört på morgonen. Hade det bara varit en dröm? Om öronen inte hade spelat honom ett spratt undrade han var dessa ljud fanns nu. Varför hörde han inte annat än de andras snarkningar hur mycket han än koncentrerade sig? Han längtade efter att åter få uppleva den samhörighet och innerlighet som han hade känt bara några få timmar tidigare, men ju mer han spände hörseln, desto mindre hörde han och så småningom tyckte han att det lät som om snörvlandet och snarkandet omkring honom kom långt bortifrån.

Under de följande veckorna gjorde Tin Win sitt bästa för att delta i klosterarbetet. För varje dag som gick förlitade han sig alltmer på bambustaven och han tyckte om att vandra omkring i staden utan att behöva oroa sig för att ramla omkull eller råka ut för andra missöden. Han lärde sig att sopa gårdsplanen och att tvätta kläder och han tillbringade många eftermiddagar vid baljan och tvättbrädet och han vred ur de blöta klädnaderna tills fingrarna värkte av det kalla vattnet. Han hjälpte till med att städa i köket och visade sig äga en osedvanlig talang för att bedöma veden. Han behövde bara snabbt fingra på vedklabben och sedan kunde han råda de andra att antingen knäcka den över knäna eller över en sten. Snart kände han igen munkarna inte bara på rösten utan också på deras sätt att smacka med läpparna, hosta, rapa, gå och ljudet av deras fotsulor mot trägolvet.

Tin Win trivdes bäst under de timmar som han tillbringade i sällskap med U May. Noviserna satt i en halvcirkel och han satt alltid i första raden knappt två meter från den gamle munken, vars röst fortfarande ägde samma styrka och magi som vid deras första möte då Tin Win hade blivit så djupt berörd. Till och med de gånger när inte U May sa något utan lät sin assistent, en ung munk, sköta undervisningen förnam Tin Win att han fanns i närheten. Det gjorde honom trygg. När de andra noviserna reste sig och gick därifrån brukade han sitta kvar och sedan maka sig närmare U May och överösa honom med frågor.

"Hur kommer det sig att du inte kan se någonting?" frågade Tin Win honom en dag.

"Vem har sagt att jag inte kan se?"

"Su Kyi. Hon sa att du är blind."

"Jag? Skulle jag vara blind? Det stämmer att jag förlorade synen för flera år sedan. Men därmed inte sagt att jag är blind." Han satt tyst en stund och sedan frågade han: "Än du själv då? Är du blind?"

Tin Win funderade. "Jag kan skilja ljus från mörker, men det är också allt."

"Har du en näsa som du kan lukta med?"

"Ja, naturligtvis har jag det."

"Händer att känna med?"

"Ja, självklart."

"Öron att höra med?"

"Visst har jag det." Tin Win tvekade. Skulle han berätta om sin upplevelse för U May? Men det hela hade ju skett för flera veckor sedan och ibland undrade han om han bara hade inbillat sig alltihop.

"Vad mer kan du behöva?" frågade U May. "Tingens innersta natur kan inte ses med ögonen." Han satt tyst en lång stund och sedan fortsatte han: "Våra sinnesorgan tycker om att leda oss vilse och synen är den bedrägligaste av dem alla. Vi förlitar oss alldeles för mycket på den. Vi tror att vi ser världen omkring oss och ändå är det bara ytan som vi skönjer. Vi måste lära oss att förutsäga tingens sanna natur och i det fallet är ögonen och synen mer till hinder än till hjälp. De distraherar oss. Vi tycker om att bli bländade. Den som förlitar sig alltför mycket på synen försummar de andra sinnena – och då syftar jag på mer än hörseln och lukten. Jag talar om det organ inom oss som vi inte har något namn på. Låt oss kalla det för hjärtats kompass."

U May sträckte fram händerna mot Tin Win. Han häpnade över hur varma de var. "Den som har förlorat synen måste vara uppmärksam", sa U May till honom. "Det låter lättare än det är. Man måste lyssna till varenda rörelse och vartenda andetag. Så fort jag slarvar eller låter tankarna vandra leder sinnesorganen mig på avvägar. De spelar mig spratt, precis som ouppfostrade barn som vill ha uppmärksamhet. När jag är otålig till exempel vill jag att allting ska ske snabbt. Mina rörelser blir häftiga. Jag spiller ut teet eller soppan i skålen. Jag hör inte riktigt vad andra säger eftersom jag redan är någon annanstans i tankarna. Samma sak när vreden bultar inombords. En gång blev jag arg på en ung munk och strax därpå stötte jag emot spisen i köket. Jag hade inte hört att elden sprakade och jag hade inte känt röklukten. Ilskan hade trubbat av sinnena. Det är inte ögonen och öronen som är problemet, Tin Win, utan vreden som gör oss blinda och döva, precis som fruktan, avund och misstro. När man är arg och rädd krymper världen och kommer i olag. Det gäller både oss och dem som ser med ögonen. Men de märker det inte. Var tålmodig."

Tin Win vände sig mot den gamle munken.

"Var tålmodig", upprepade han.

U May försökte resa sig. Tin Win skyndade fram för att hjälpa honom. U May stödde sig på Tin Wins axel och så gick de långsamt genom vestibulen och ut på verandan. Det regnade, men det var inte någon häftig störtskur utan ett stilla och skirt sommarregn. Från taket föll regndropparna ner på deras fötter. U May böjde sig fram och lät regnet skölja över sitt kala huvud och rinna nedför halsen och ryggen. Han drog med sig sin elev. Vattnet strilade över Tin Wins panna, kinder och näsa. Han gapade och stack ut tungan. Regnet var varmt och salt.

"Vad är du rädd för?" frågade U May.

"Varför tror du att jag är rädd?"

"Det hörs på rösten."

U May hade naturligtvis rätt. Men Tin Win visste inte vad han var rädd för, rädslan fanns där nästan jämt och den förföljde honom som skuggan en solig dag. Ibland var den liten och knappt förnimbar och då kunde han hålla den i schack. Vid andra tillfällen vaknade den till liv och blev omåttligt stor och då blev händerna klibbiga av kallsvett och han darrade i hela kroppen som om han hade fått malaria.

De stod tysta bredvid varandra. Duvorna kuttrade under takfoten. När de hade tigit en stund frågade U May på nytt: "Vad är du rädd för?"

"Jag vet inte", sa Tin Win lågt. "Jag är rädd för den stora tjocka skalbaggen som kravlar genom mina drömmar och gnager på mig tills jag vaknar. Jag är rädd för trädstubbar som jag sitter på och som jag ramlar av utan att slå i marken. Jag är rädd för rädslan."

U May strök honom över kinderna med bägge händer.

"Alla har vi varit rädda", sa han. "Nåväl. Rädslan cirklar runt oss som flugor runt oxdynga. Den får djuren att ta till flykten. De springer eller flyger eller simmar tills de tror att de är i trygghet eller tills de tuppar av och dör av utmattning. Människorna är inte ett dugg klokare. Vi vet att det inte finns någon plats på jorden där vi kan undslippa rädslan men ändå försöker vi hitta ett sådant ställe. Vi strävar efter makt och rikedom. Vi hänger oss åt villfarelsen att vi är starkare än rädslan. Vi försöker styra över våra hustrur, våra barn, våra grannar och våra vänner. Ärelystnad och rädsla har en sak gemensamt: bägge är gränslösa. Men med rikedom och makt är det som med opium som jag provade mången gång i ungdomen – ingetdera håller vad det lovar. Opium gjorde mig inte lycklig för evigt. Det krävde bara mer och mer av mig. Pengar och makt besegrar inte rädslan. Det finns bara en enda kraft som är starkare än rädslan."

På kvällen låg Tin Win blickstilla på den flätade halmmattan. Bortsett från U May sov alla munkar i ett enda stort rum bredvid köket. De lade ut mattorna på trägolvet och lindade in sig i yllefiltarna. Nattkylan spred sig genom springorna mellan golvplankorna. Tin Win lyssnade spänt. Han hörde en hund som skällde och en annan som svarade. Sedan en tredje och en fjärde. Elden i köksspisen knastrade fortfarande. De små guldbjällrorna på taket pinglade ända tills kvällsbrisen mojnade och då blev även de tysta. Tin Win gav akt på hur den ena munken efter den andra somnade, han hörde att deras andhämtning blev långsam och regelbunden, ända tills alla ljud plötsligt försvann. Sedan blev det alldeles tyst, tystare än Tin Win någonsin hade varit med om tidigare. Det var som om världen hade försvunnit. Tin Win rasade ner i en avgrund. Han snurrade runt i luften, kastades omkring, sträckte ut armarna, tittade efter någonting som han kunde hålla sig i, en hand, ett litet träd, vad som helst som kunde hejda fallet. Det fanns inte någonting. Han föll allt djupare men plötsligt hörde han åter de andra andas runt omkring. Och hundarna. Och en motorcykel som dånade förbi. Hade han glidit in i en dröm? Eller hade han varit vaken och inte hört någonting under några sekunder? Hade han förlorat hörseln? Helt oväntat? Skulle han både förlora synen och hörseln?

Han fylldes av skräck. Men så kom han att tänka på U May. Det fanns bara en kraft som var starkare än rädslan. Den gamle hade tröstat honom. Han skulle hitta den. Men han fick inte leta efter den.

Kapitel 4

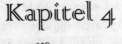

Su Kyi korsade gårdsplanen framför klostret. I skuggan av ett fikonträd bugade sex munkar för henne. På avstånd såg hon Tin Win som satt på översta trappsteget i verandatrappan med en tjock bok i knät. Fingrarna löpte över sidorna, han höll huvudet en smula på sned och läpparna rörde sig som om han pratade för sig själv. Varenda eftermiddag i snart fyra års tid hade han suttit och läst när hon kom för att hämta honom i klostret. Tänk så mycket som hade hänt under dessa år! Så sent som förra veckan hade U May än en gång försäkrat att Tin Win hade förändrats i grunden och att han var så begåvad. Han var en strålande duktig och flitig elev. Han var ovanligt bra på att koncentrera sig och förbluffade ofta sin lärare med sitt minne, sin fantasi och sin slutledningsförmåga. U May hade aldrig förr sett någon femtonåring med sådana talanger. Tin Win kunde utan ansträngning ge en fullständig redogörelse för innehållet på lektionerna flera dagar efter det att de hade ägt rum. Han kunde lösa räknetal i huvudet på några minuter, vilket andra behövde en griffeltavla och en halv timmes grubbel för att klara. U May hade så höga tankar

133

om Tin Win att han efter en termin började ge pojken privatlektioner på eftermiddagarna. Han tog fram en mängd böcker skrivna med blindskrift ur en spjällåda. De hade han fått i gåva av en engelsman för många år sedan. Tin Win lärde sig alfabetet på några månader. Han läste allt som U May hade samlat på hyllorna under årens lopp och det dröjde inte länge förrän han kände till varenda bok i klostret. Tack vare att U May var god vän med en pensionerad engelsk officer vars son var blind sedan födseln kunde han förse Tin Win med nya böcker i en aldrig sinande ström. Tin Win slukade sagor, biografier, reseskildringar, äventyrsromaner, pjäser och till och med avhandlingar i filosofi. Han släpade hem nya böcker nästan varje dag och natten innan hade Su Kyi åter väckts av hans mumlande. Hon upptäckte att han satt på huk bredvid henne i mörkret med en bok i knät och händerna svepte över sidorna som om han smekte dem samtidigt som han viskade varenda mening som hans fingrar lirkade fram.

"Vad gör du?" frågade hon.

"Reser."

Hon kunde inte låta bli att le fastän hon var så trött. Bara några dagar tidigare hade han förklarat för henne att han inte bara läste böckerna, nej, han reste med dem, de förde honom till andra länder och främmande kontinenter och med deras hjälp lärde han hela tiden känna nya människor och många av dem blev han vän med.

Su Kyi skakade på huvudet, för utanför böckernas värld var han tydligen helt oförmögen till att skaffa sig vänner. Även om skolan hade gjort honom mycket gott förblev han dock blyg och reserverad. Trots att han var så engagerad på lektionerna hade han bara ytlig och sporadisk kontakt med de andra pojkarna. Han var hövlig mot munkarna men höll distansen och Su Kyi oroade sig alltmer för att ingen kunde få någon kontakt med honom. Ingen utom möjligen U May och hon själv, men hon var inte så säker på det. Nej, Tin Win levde i sin egen värld och ibland kom hon på sig själv med att fåfängt undra om han var sig själv nog och om han egentligen hade något behov av andras sällskap.

Su Kyi ställde sig vid foten av trappan och smackade med tungan, men Tin Win var så fördjupad i boken att han inte märkte det. Hon iakttog honom och insåg först nu att han inte längre var något barn. Han hade blivit huvudet längre än de andra pojkarna. Han hade kraftiga överarmar och breda skuldror som en bonde men känsliga fingrar och fina händer som en guldsmed. I ansiktsdragen såg hon redan tecken på den yngling som han var på väg att bli.

"Tin Win!" sa hon.

Han vände huvudet åt hennes håll.

"Jag måste handla lite på marknaden innan vi går hem. Vill du följa med eller vill du vänta här?"

"Jag stannar kvar här." Han var rädd för allt folk som trängdes bland salustånden. Det var för många människor och alldeles för många ovana ljud och främmande dofter som kunde förvirra honom och få honom att snubbla.

"Jag ska skynda mig", lovade Su Kyi.

Tin Win reste sig. Han slätade till sin nya gröna longyi som han hade fäst med en hård knut om midjan och sedan gick han tvärs över verandan och in i vestibulen.

Han var på väg till köket när han hörde ett ljud som han inte kände igen. Först trodde han att någon dunkade med en träbit i takt med en klockas slag, men ljudet var inte tillräckligt dovt och hårt. Rytmen var säregen och monoton. Tin Win stod stilla. Han kände till alla skrymslen i klostret men ett ljud som detta hade han aldrig hört tidigare, varken här eller någon annanstans. Varifrån kom ljudet? Mitt i vestibulen?

Han lyssnade spänt. Han tog ett steg och stod sedan stilla. Så lyssnade han. Där var ljudet igen, det ljöd högre och klarare än förut. Det lät som en bultning, som en låg och vänlig bultning. Några sekunder senare blandades det med ljuden av munkarnas hasande steg, rapningar och fjärtar i köket, knarret av golvplankorna och fönsterluckorna som slog i vinden. Duvorna under takfoten kuttrade. Ovanför honom prasslade det: en kackerlacka eller en skalbagge kröp över taket. Vad var det som gnisslade på väggen? Var det flugor som gned bakbenen mot varandra? Någonting svävade ner från ovan. En fjäder. Trämaskarna tuggade på bjälkarna över honom. En vindpust på gården lyfte några sandkorn upp i luften och släppte ner dem igen. I fjärran hörde han oxarna fnysa på fälten och ett sorl av röster på marknaden. Tin Win tyckte att det var som om ett förhänge långsamt drogs undan och visade upp den värld som han helt kort hade fått kontakt med en gång tidigare men sedan förlorat. Det dolda känslorike som han hade längtat så mycket efter. Här var det nu igen.

Genom allt detta knastrande, knakande, viskande, kuttrande, droppande, sipprande och pipande hördes det dova bultandet tydligt. Långsamt, lugnt och med en jämn rytm. Bultandet var på något vis själva källan till alla ljud, toner och röster i världen. Det var starkt och skört på en och samma gång. Tin Win vände sig i riktning mot ljudet men tvekade. Vågade han närma sig det? Tänk om han skrämde bort det? Han lyfte försiktigt ena foten. Höll andan. Spände hörseln till det yttersta. Bultandet hördes fortfarande. Han dristade sig till att ta ett steg och sedan ännu ett. Han satte varsamt den ena foten framför den andra som om han annars skulle kunna trampa på bultandet. Efter varje rörelse gjorde han en paus och försäkrade sig om att han inte hade tappat bort det.

Bultandet ljöd starkare för varje steg. Sedan stod han stilla. Ljudet måste komma från en plats precis framför honom.

"Är det någon där?" viskade han.

"Ja. Alldeles vid dina fötter. Du håller på att snava över mig."

Det var en flickröst. En som han inte kände igen. Han försökte utan framgång se hennes bild framför sig.

"Vem är du? Vad heter du?"

"Mi Mi."

"Hör du det där bultande ljudet?"

"Nej."

"Det måste komma härifrån någonstans." Tin Win ställde sig på knä. Nu hördes det nästan i örat på honom. "Jag hör ljudet allt starkare. Ett lågt pulserande ljud. Hör du verkligen inte det?"

"Nej."

"Blunda!"

Mi Mi slöt ögonen. "Jag hör inte ett dugg", sa hon

och skrattade. Tin Win böjde sig fram och kände hennes andedräkt mot ansiktet. "Jag tror att det kommer från dig." Han smög närmare henne och höll huvudet framför hennes bröstkorg.

Där var det! Det var hennes hjärta som slog.

Hans eget hjärta började rusa. Det kändes nästan som om han tjuvlyssnade, som om han inte hade rätt till den information som han nu tog del av. Han fylldes av rädsla men då lade hon handen mot hans kind. Värmen från hennes hand flödade genom hans kropp och han önskade att hon aldrig skulle ta bort handen. Han rätade på sig. "Det är ditt hjärta. Jag hör ditt hjärta slå."

"På så stort avstånd?" Hon skrattade igen, men hon gjorde inte narr av honom. Han hörde det på hennes röst. Det var ett skratt som han kunde lita på.

"Tror du mig inte?" sa han.

"Jag vet inte. Kanske. Hur låter det då?"

"Underbart. Nej, ännu vackrare. Det låter som ..." Tin Win började stamma och letade efter de rätta orden. "Jag kan inte beskriva det."

"Du måste höra bra."

Han hade kanske kunnat tro att hon skämtade på hans bekostnad. Men han förstod på hennes tonfall att hon inte gjorde det.

"Ja. Nej. Jag är inte säker på att vi hör med öronen."

Ingen av dem sa något på en stund. Han visste inte vad han skulle säga. Han var rädd för att hon skulle ställa sig upp och springa därifrån. Han borde kanske prata på i hopp om att rösten skulle trollbinda henne. Mi Mi skulle nog stanna och lyssna så länge han pratade.

"Jag har aldrig ..." Han funderade på hur han skulle

formulera det. "Lagt märke till dig i klostret", sa han till slut.

"Jag har redan sett dig många gånger."

En hög kvinnoröst avbröt henne. "Var gömmer du dig någonstans, Mi Mi?"

"I vestibulen, mor."

"Vi måste gå hem."

"Jag kommer."

Tin Win hörde att hon rätade på sig men hon ställde sig inte upp. Hon sträckte ut handen och strök honom snabbt över kinden.

"Jag måste ge mig av. Vi ses snart", sa hon och så hörde han att hon rörde sig därifrån, men hon gick inte. Hon kröp på alla fyra.

Kapitel 5

Tin Win satt på golvet med benen uppdragna till bröstet och huvudet vilande mot knäna. Helst av allt hade han velat sitta kvar där resten av dagen och på natten och även dagen därpå, som om minsta rörelse skulle kunna förstöra hans upplevelse. Mi Mi var försvunnen men hennes hjärtslag fanns kvar hos honom. Han mindes dem och han hörde dem, precis som om hon satt bredvid honom. Hur var det med de andra ljuden? Han rätade på nacken, vred huvudet av och an och lyssnade. Det hördes fortfarande ett stillsamt prasslande på taket. Gnisslandet på väggen och gnagandet i träet kunde han fortfarande uppfatta. Tin Win var säker på att han tydligt kunde höra hur vattenbufflarna frustade på fälten och hur kunderna skrattade på tehusen. Han reste sig försiktigt. Han kunde knappt tro att det var sant, men han kunde fortfarande höra fantastiskt bra. De välkända och okända ljuden fanns ännu kvar. Vissa av dem ljöd högre och andra lägre, men kraften och intensiteten hos dem var oförminskad. Skulle de hjälpa honom att hitta sin väg i livet?

Tin Win gick fram till dörren, fortsatte nedför

verandatrappan och vidare tvärs över gården. Han ville gå omkring, han ville strosa fram och tillbaka på huvudgatan. Han ville upptäcka staden, han ville lyssna ordentligt på den. Nya, främmande ljud studsade emot honom från alla håll. Det dunkade, bultade, knastrade och prasslade runt omkring honom. Han hörde att det väste, porlade, gnisslade och kraxade överallt, men ingenting i denna störtflod av intryck skrämde honom. Han lade märke till att öronen fungerade i stort sett på samma vis som ögonen. Han mindes att han hade betraktat skogen och sett dussintals träd med hundratals grenar och tusentals barr och blad på en och samma gång, för att inte tala om ängen i förgrunden med alla blommor och buskar, och han kom ihåg att inget av detta hade gjort honom det minsta förvirrad. Blicken hade fokuserat på några få detaljer i sceneriet. Resten var perifert. Genom ett minimalt skifte av perspektiv i pupillerna kunde han ändra fokus och begrunda nya detaljer utan att förlora de övriga ur sikte. Det var just det som han upplevde nu. Han uppfattade så många ljud att han inte skulle ha kunnat räkna dem och ändå smälte de inte samman. På samma sätt som han tidigare hade riktat blicken mot ett grässtrå, en blomma eller en fågel kunde han nu koncentrera hörseln på ett speciellt ljud, lyssna på det i lugn och ro och ständigt upptäcka fler nyanser i det.

Tin Win flanerade längs klostermuren och stannade då och då till för att lyssna. Han kunde inte få nog av alla ljud som fyllde luften. Han hörde elden dåna i ett hus på andra sidan gatan. Någon skalade och hackade vitlök och ingefära i småbitar, skar itu knipplök och tomater och hällde ris i kokande vatten. Han kände igen ljuden från hemmet när Su Kyi lagade mat och han hörde ljuden tydligt trots att huset måste ligga minst femtio meter därifrån. En bild tonade fram inom honom – han skulle inte ha kunnat se den klarare med hjälp av ögonen – av en ung kvinna som svettades i köket. Strax intill hörde han en häst som snörvlade och en karl som tuggade betelnötter och spottade ut saften på gatan. Men hur var det med alla andra ljud som han urskilde? Det melodiska kvittrandet, gnisslandet och kraxandet? Även om han kände igen ljuden visste han inte vem eller vad som lät. Han hörde att en gren gick av, men var det grenen på en pinje, ett avokadoträd, ett fikonträd eller en bougainvillea som bröts mitt itu? Och varifrån kom prasslandet vid hans fötter? Var det en skalbagge? En orm? Eller en mus? Eller var det någonting som han inte ens kunde föreställa sig som gav ifrån sig ett ljud? Hans utomordentliga hörsel var i sig inte till någon större användning. Han behövde hjälp. De här ljuden var glosor i ett för honom okänt språk och han behövde en översättare. Någon som han kunde lita på, någon som han kunde anförtro sig åt, någon som skulle tala sanning och inte roa sig med att leda honom på villovägar.

Tin Win hade kommit fram till huvudgatan och det första han lade märke till var ett ihärdigt trummande på ömse sidor om honom. Ljuden kom från de förbipasserandes hjärtan. Till sin häpnad upptäckte han att inga hjärtslag lät likadant – det var som med röster, som alla lät olika. En del hjärtan bultade klart och ljust som barnaröster och andra slog vilt och hamrade som hackspettar i brösten. Vissa hjärtan lät som ivrigt pipande kycklingar medan de lugna, regelbundna hjärtslagen hos andra påminde honom om väggklockan som Su Kyi drog upp varje kväll i hans onkels hus.

"Vad gör du här på huvudgatan alldeles ensam?" sa Su Kyi som plötsligt dök upp. Hon var på väg till klostret för att hämta honom. Hon var upprörd, det hörde han på rösten.

"Jag tänkte ställa mig i gathörnet och vänta på dig", sa Tin Win.

Su Kyi tog honom i handen och så promenerade de gatan fram förbi tehusen och moskén. De vek av bakom en liten pagod och började långsamt gå uppför kullen mot hemmet. Su Kyi berättade någonting för honom men han lyssnade inte till orden. Han lyssnade till hennes hjärta. Först lät hjärtslagen så konstiga. Hjärtat slog oregelbundet, en ljus ton följde efter en dov, och han förvirrades av kontrasten mellan hjärtslagen och den välkända stämman. Men efter några minuter vande han sig vid hjärtrytmen och konstaterade att den passade Su Kyi väl eftersom hennes sinnesstämning och humör precis som rösten plötsligt kunde ändras utan förvarning.

När de kom hem var Tin Win full av förväntan. Han ville så gärna be Su Kyi om hjälp. Han slog sig ner på en pall i köket och lyssnade. Su Kyi stod utanför dörren och högg ved. Hönsen kacklade och sprang omkring runt fötterna på henne. Pinjeträden vajade i vinden. Fåglarna sjöng. De ljuden kände han igen och kunde klassificera. Sedan lade han märke till ett lågt prasslande eller var det snarare ett surrande eller ett märkligt kvittrande? Var det en skalbagge eller ett bi? Om Su Kyi kunde förklara varifrån ljudet kom och sedan berätta det för honom skulle han ha lärt sig sin första glosa i denna nya ordlista.

"Vill du vara snäll och komma hit, Su Kyi", ropade han ivrigt.

Hon ställde ifrån sig yxan och gick in i köket. "Vad är det?"

"Hör du det där surrandet?"

De lyssnade uppmärksamt. Han märkte på de snabba och ljudliga hjärtslagen att Su Kyi ansträngde sig och koncentrerade sig helt på uppgiften. Nu bultade hennes hjärta likadant som det hade gjort för några minuter sedan när de vandrade uppför kullen.

"Jag kan inte höra någonting som surrar."

"Ljudet kommer däruppifrån, ovanför dörren. Ser du någonting där?"

Su Kyi gick bort till dörren och kastade en blick mot taket. "Nej."

"Se efter ordentligt! Vad finns det där?"

"Ingenting. Bjälkar, damm och smuts. Vad trodde du?"

"Jag vet inte, men ljudet kommer därifrån, från hörnet tror jag, där väggen och taket möts."

Su Kyi granskade väggen noggrant. Hon kunde inte upptäcka någonting utöver det vanliga.

"Ställ dig på en pall, så ser du bättre."

Su Kyi klev upp på en pall och undersökte träet. Visserligen såg hon inte särskilt bra, hon såg till och med föremål otydligt som hon hade alldeles framför näsan, men hon såg i alla fall så pass mycket att hon kunde konstatera att i den här smutsiga vrån i köket fanns det ingenting som surrade, vad man än inbillade sig. Och inte något som gav ljud ifrån sig heller för den delen. Där fanns bara en stor spindel som spann nät. Ingenting annat.

"Här finns inte ett dugg, tro mig."

Tin Win reste sig. Han kände sig nedslagen.

"Kan du följa med mig ut på gården?" bad han.

De ställde sig framför huset. Han tog henne i handen och försökte koncentrera sig på ett enda ljud som var okänt för honom: ett sugande, sörplande ljud.

"Hör du det där sörplandet, Su Kyi?"

Hon förstod att det var viktigt för honom att även hon hörde det. Men hon kunde inte höra att någon drack eller sörplade någonting.

"Vi är ensamma här, Tin Win. Ingen dricker någonting på vår gård."

"Jag påstår inte att någon gör det. Men jag hör ett sugande, sörplande ljud inte långt ifrån oss."

Su Kyi tog några steg.

"Lite längre bort, en liten bit till", sa Tin Win.

Su Kyi gick vidare ända fram till staketet, sjönk ner på knä på marken och sa inte ett ord.

"Hör du ljudet nu?" Det var inte en fråga utan en befallning och hon skulle ha gett vad som helst för att ha kunnat säga ja. Men hon hörde inte någonting alls.

"Nej."

"Vad ser du?"

"Staketet. Gräs. Jord. Blommor. Men ingenting som kan göra ett sörplande ljud." Hon betraktade de gula orkidéerna och biet som kröp ut ur en av blommorna. Sedan reste hon sig.

Kapitel 6

Ansiktet var täckt av sand. Tin Win kände sandkornen på läpparna och mellan tänderna. Han låg i vägdammet och kände sig lika hjälplös som en skalbagge på rygg. Han var gråtfärdig. Inte för att han hade gjort sig illa utan av vrede och skam. Han hade sagt åt Su Kyi att hon inte skulle hämta honom den här dagen eftersom han tänkte gå hem ensam från klostret. Han hade varit så övertygad om att han efter alla dessa år skulle hitta vägen själv.

Han visste inte om han hade snavat över en sten, en trädrot eller en grop i marken efter regnet. Det enda han visste var att han hade begått en riktig blunder på grund av ren och skär dumhet. Han hade varit alltför självsäker. Han hade inte varit uppmärksam. Han hade frånvarande satt den ena foten framför den andra men inte koncentrerat sig. Tin Win visste inte om de seende verkligen kunde lägga märke till flera saker på en gång eller om de bara påstod att de kunde göra det. Men själv kunde han det inte, det insåg han. Till råga på allt hade han blivit arg och sådana känslostormar ställde alltid till med oreda i hans värld. U May hade rätt. Vrede och ilska förvirrade alltid hans sinnen och fick honom att snubbla eller gå rakt på träd eller in i väggar. Han tog sig upp, torkade bort smutsen i ansiktet med sin longyi och gick sedan vidare. Stegen var osäkra. Han stannade till efter varje steg och undersökte marken framför sig med staven som om han var inne på fientligt territorium.

Tin Win ville komma hem så fort som möjligt. Till en början hade han tänkt följa sina öron, undersöka omgivningen närmare, upptäcka nya ljud och ta reda på varifrån de kom och kanske rentav ta sig till marknaden som Su Kyi så ofta hade talat om. Men nu blev han bara skrämd av ljuden som strömmade emot honom från alla håll. Allt detta pipande, väsande, tuggande och pladdrande skrämde honom. Han hade slagit till reträtt och skulle helst ha velat fly därifrån så fort det bara gick. I stället var han tvungen att treva sig fram, smyga längs muren, slinka nedför huvudgatan och hålla ett fast grepp om staven hela tiden, likt en skeppsbruten vid en bräda. Han vek av till höger och märkte att det gick uppför. En främmande röst ropade på honom.

"Tin Win! Tin Win!"

Han tog ett djupt andetag.

"Tin Win!"

Med ens kände han igen rösten.

"Är det du, Mi Mi?" frågade han.

"Ja."

"Vad gör du här?"

"Jag sitter vid den lilla vita pagoden och väntar på min bror."

"Var är han någonstans?"

"Vi säljer potatis på marknaden en gång i veckan. Just

nu är han på väg med ris och kyckling som gåva till vår sjuka faster som bor uppe på kullen. Sedan kommer han och hämtar mig."

Tin Win trevade sig försiktigt fram till pagoden. Han hade snavat så ofta att man skulle kunna tro att någon med berått mod hade lagt stenar och trädgrenar i hans väg. Han hoppades innerligt att han skulle slippa förödmjukelsen att ramla omkull på marken framför ögonen på Mi Mi. Han förstod av ljudet från staven att han hade kommit fram till pagoden. Han satte sig bredvid henne. Sedan hörde han hennes hjärta slå. Han blev allt lugnare för varje hjärtslag. Han kunde inte tänka sig ett vackrare ljud än detta. Hennes hjärta lät annorlunda än alla andras – det ljöd mildare och mer melodiskt. Hennes hjärta bultade inte. Det sjöng.

"Skjortan och din longyi är smutsiga. Föll du omkull?" frågade hon.

"Ja. Det är inte så farligt."

"Slog du dig?"

"Nej."

Tin Win fick tillbaka självförtroendet. Alla ljud hördes åter på sin vanliga volym. Mi Mi drog sig närmare honom. Hennes doft påminde honom om pinjer efter den första skuren under regntiden. Söt men inte tung, mycket skir, i många florstunna lager. De satt tysta en stund och Tin Win dristade sig åter till att spänna hörseln till det yttersta. Han hörde ett dovt trummande eller droppande. Det kom från andra sidan pagoden. Borde han fråga Mi Mi om hon också hörde ljudet? Och om hon gjorde det, tordes han då be henne att se efter varifrån det kom så att han lärde sig att känna igen det i framtiden? Han tvekade. Tänk om hon varken hörde eller såg någonting? Då skulle han känna sig ännu ensammare än han hade gjort dagen innan tillsammans med Su Kyi. Dessutom ville han inte göra bort sig inför Mi Mi. Det var nog bäst att inte fråga.

Men frestelsen blev honom övermäktig. Till slut beslöt han sig för att komma till saken genom att ställa fråga efter fråga till Mi Mi och anpassa dem efter hennes reaktion på dem.

"Hör du det där droppandet?" sa han försiktigt.

"Nej."

"Det kanske inte är någonting som droppar. Det låter snarare som ett sprött hamrande." Han knackade snabbt med nageln mot staven. "Någonting i den stilen."

"Jag hör ingenting."

"Kan du ta dig en snabb titt bakom pagoden?"

"Där finns bara buskage."

"Och vad finns i buskagen?" Tin Win hade svårt att dölja sin iver. Om hon ändå kunde hjälpa honom att lösa den här gåtan!

Mi Mi gjorde helt om och kröp bakom det lilla templet. Undervegetationen var tät och hon rev sig i ansiktet på några vassa grenar. Hon kunde inte hitta någonting som gjorde den sortens ljud som Tin Win hade beskrivit. Hon såg bara ett fågelbo. "Här finns ingenting."

"Berätta exakt vad du ser", bad Tin Win.

"Grenar. Blad. Ett gammalt fågelbo."

Tin Win funderade. "Vad finns det i boet?"

"Jag vet inte. Det ser ut att vara övergivet."

"Ljudet kommer med absolut säkerhet från fågelboet. Vill du vara snäll och undersöka det lite noggrannare?"

"Det går inte. Det sitter för högt. Jag kan inte stå upp här."

Varför kunde hon inte resa på sig och titta in i boet? Det fanns ju alldeles framför henne. Det skulle räcka med en glimt – en snabb blick var nog. Då skulle han med säkerhet veta om han kunde lita på sin hörsel.

Mi Mi kröp tillbaka runt hörnet. "Vad tror du finns i boet?"

Tin Win tvekade. Skulle hon tro honom? Skulle hon hånskratta? Hade han något val?

"Ett ägg. Jag tror att trummandet är hjärtslagen från en okläckt kyckling."

Mi Mi skrattade. "Du skämtar. Ingen kan höra sådant."

Tin Win sa ingenting. Vad skulle han säga?

Mi Mi var tyst en stund och sedan sa hon: "Om du hjälper mig så ska jag undersöka om du har rätt. Kan du bära mig på ryggen?"

Tin Win satte sig på huk och Mi Mi lade armarna runt hans hals. Tin Win rätade långsamt på sig. Han stod osäkert där och vajade från sida till sida.

"Är jag för tung?" frågade hon.

"Nej, inte alls." Det var inte tyngden som fick honom ur balans utan den ovana upplevelsen av att ha någon på ryggen. Hon virade benen runt hans höfter och han lade armarna i kors bakom ryggen som stöd. Nu hade han inte någon ledig hand till staven och han kände inte till terrängen runt omkring. Han kände hur knäna vek sig.

"Var inte rädd. Jag ska vägleda dig." Tin Win tog ett litet steg. "Bra. Ta ett till. Nu måste du ta det försiktigt för det ligger en sten alldeles framför dig. Bli inte förskräckt."

Tin Win trevade efter stenen med vänsterfoten, undersökte den och satte foten på marken bredvid den. Mi Mi styrde honom förbi det lilla templet. Med ena handen försökte hon dra undan trädgrenarna så att de inte skulle piska honom i ansiktet.

"Där är det. Ta ett steg till. Och ännu ett." Han kände att hon stödde sig med händerna på hans axlar, rätade på sig och böjde sig framåt. Hans hjärta rusade och med yttersta ansträngning lyckades han hålla balansen.

"Här finns ett ägg, men det var inte stort."

"Är det säkert?"

Tin Win försökte inte dölja sin glädje. De hade satt sig på huk vid vägkanten och han kunde knappt hålla sig stilla. Mi Mi hade öppnat dörren på glänt. Hon hade låtit en strimma ljus flöda in i hans mörker. Helst av allt skulle han ha velat rymma med henne på en gång. Han skulle ha velat undersöka varenda ton, vartenda ljud, vartenda buller han kunde få tag i. Han hade lärt sig sitt första ord. Nu visste han hur hjärtslagen från en fågelunge inuti ägget lät och så småningom skulle han säkert komma på hur han skulle känna igen fjärilsfladder och varför det porlade runt omkring honom, även när det inte fanns något vatten i närheten, och varför han även när det var kav lugnt kunde höra någonting som smattrade. Med hjälp av Mi Mi skulle han få svar på den ena gåtan efter den andra och till sist skulle kanske en helt ny värld uppstå.

"Varför ville du inte titta i fågelboet själv?" frågade Tin Win.

Mi Mi tog honom i händerna och lade dem mot sina vader. Tin Win hade aldrig känt en så len hud i hela sitt liv. Den var mjukare än mossan i skogen som han älskade att lägga kinden mot. Fingrarna rörde sig sakta nedför hennes ben till de smala vristerna men sedan kände han att fötterna var missformade. De var orörliga, stela och vridna inåt.

Kapitel 7

Yadana talade ofta om att hennes livs underbaraste ögonblick var när hennes dotter kom till världen, men därmed inte sagt att hon inte älskade de fem söner hon redan hade. Hennes stora glädje kom sig nog av att hon hade trott att hon var för gammal för att bli med barn igen och dessutom hade hon alltid velat ha en liten flicka. Nu vid trettioåtta års ålder uppskattade hon dottern och nedkomsten för vad de var, nämligen en stor och ojämförlig gåva. Kanske var hon så glad eftersom hon inte hade mått dåligt under de nio månader då barnet växte i henne. Det gick inte en dag under graviditeten utan att hon rätade på sig på åkern och tog en paus, slöt ögonen, strök sig över magen och fröjdades i sitt hjärta. På nätterna låg hon ofta vaken och kände hur barnet blomstrade inombords, hur det vände och vred sig och sparkade och puffade på väggarna i livmodern. Allt var så vackert och skönt. Om hon hade varit sentimentalt lagd skulle hon ha gråtit. Eller berodde hennes stora glädje på att hon inte kunde glömma den första blicken ur dotterns stora, mörkbruna, nästan svarta ögon? Hon var så vacker. Den bruna hyn var lenare än huden på Yadanas andra barn. Dotterns lilla huvud var runt och hade inte blivit missformat under födslovåndorna och ansiktsdragen var harmoniska. Till och med barnmorskan försäkrade att hon aldrig förr hade hållit ett så vackert nyfött barn i famnen. Mi Mi låg i Yadanas armar och dottern tittade på sin mor, som just då kände sig ännu starkare förenad med barnet än under de gångna nio månaderna. Sedan log den lilla. Yadana hade inte sett maken till leende vare sig förr eller senare. Därför var det hennes man Moe som var den förste som upptäckte att barnet var handikappat. Han ropade till av pur chock och pekade på de små förkrympta fötterna.

"Alla barn är olika", sa Yadana. För hennes del var det färdigdiskuterat. Ryktena som spreds i byn under de följande veckorna påverkade inte hennes inställning. En del människor trodde att hennes dotter var en reinkarnation av en skottes åsna, som hade brutit frambenen några månader tidigare och som därför hade blivit skjuten. Andra trodde att barnet inte skulle få leva länge här i världen. Grannarna ansåg att den stackars flickan var ett straff för att familjen hade kunnat glädja sig åt goda skördar de senaste åren och att de för pengarna som de tjänat hade byggt ett trähus som stod på pålar och var försett med plåttak. All denna tur och framgång hade sitt pris. Andra var övertygade om att flickan skulle bringa ofärd över byborna och det fanns till och med de som i sitt stilla sinne förordade att hon skulle sättas ut i skogen. Moes familj tvingade Yadana att gå till astrologen och be om råd. En astrolog kunde säkert förklara vilket lidande som väntade barnet och avgöra om det inte vore barmhärtigast att lämna den lilla åt sitt öde. Yadana ville inte höra talas om detta. Hon hade alltid litat mer på sin intuition än på stjärnorna och hennes intuition gav inte utrymme för några tvivel: Hon hade satt ett mycket speciellt och utomordentligt begåvat barn till världen.

Det tog nästan ett år för hennes man att komma till samma slutsats. I början vågade han knappt röra vid dottern utan höll henne på armlängds avstånd och förbjöd sönerna att komma nära henne. Men en kväll fräste Yadana: "Förkrympta fötter smittar inte."

Moe försökte blidka henne. "Jag vet, jag vet."

"Jaså. Varför har du då inte ens tittat på din dotter på snart ett år?" Med några snabba handrörelser drog hon bort filtarna som låg över Mi Mi.

Moe lät blicken vandra mellan hustrun och dottern. Mi Mi låg naken framför ögonen på honom. Det var kallt och hon huttrade till men började inte gråta. Hon såg bara förväntansfullt på honom.

"Varför?" upprepade Yadana.

Moe sträckte ut handen och rörde vid barnets lilla mage. Han lät fingrarna glida över de späda låren och knäna och fortsatte nedåt tills han höll flickans små fötter i sina händer. Mi Mi log mot honom.

Hennes ögon påminde om Yadanas när de hade mötts för första gången. Även leendet ägde denna förtrollande skönhet som han än i denna dag inte kunde motstå. Moe skämdes.

Yadana svepte in dottern i filtarna igen, blottade sitt ena bröst och ammade Mi Mi.

Det stod snart klart för Moe att dottern inte bara hade ärvt moderns vackra ögon utan även hennes förnöjsamma, jämna och ljusa sinnelag. Mi Mi grät aldrig, skrek sällan, sov hela nätterna och verkade vara en liten person som var i harmoni med omgivningen och sig själv.

Allt detta förblev som det var tills Mi Mi efter drygt ett år för första gången försökte resa sig upp. Hon hade kravlat fram till verandaräcket på framsidan av huset. Moe och Yadana stod på gårdsplanen och utfodrade suggan och kycklingarna och tittade på Mi Mi som hävde sig upp genom att fatta tag i stolparna i räcket. Hon prövade att lägga tyngden på sina förvridna fötter och lyckades stå rak ett ögonblick. Hon såg förskräckt på föräldrarna och sedan föll hon omkull. Hon försökte om och om igen och Moe ville skynda fram till henne och hjälpa henne, men han visste inte hur han skulle bära sig åt. Yadana höll honom beslutsamt tillbaka. "Fötterna kommer inte att bära henne. Det behöver hon lära sig", sa hon i vetskap om att ingen kunde ändra på detta faktum.

Mi Mi grät inte. Hon gnuggade sig i ögonen och undersökte räcket som om det vore fel på träet. Hon försökte ånyo mödosamt att hålla balansen. Men vid sjätte försöket, då hon än en gång hade landat på golvet, gav hon upp, kröp bort till trappan, satte sig upp, såg på föräldrarna och log. Det var både första och sista gången som Mi Mi försökte stå upp och gå. I fortsättningen tog hon huset och trädgården i besittning på alla fyra. Hon kröp så snabbt i verandatrappan att föräldrarna knappt hann med. Hon skyndade efter kycklingarna och under varma sommardagar när regnet hade mjukat upp jorden i trädgården tyckte hon om att rulla sig i leran. Hon brukade leka kurragömma med sina bröder och då

kröp hon in i ett avlägset hörn av trädgården där sällan
någon av dem hittade henne.

Av allt att döma behöll Mi Mi sinnesron även senare
när hon insåg hur användbart det kunde vara att ha
fötter, som när hon satt på verandan och iakttog grann-
barnen som skuttade över gårdsplanen eller klättrade i
de stora eukalyptusträden som skilde egendomarna åt.
Yadana förstod att Mi Mi accepterade de begränsningar
som naturen tvingade henne till, men det innebar inte
att hon vände sig bort eller drog sig tillbaka från livet,
tvärtom. Även om rörligheten var begränsad kände nyfi-
kenheten och hennes talanger inom andra områden i
livet inte av några bojor och band.

Det allra märkligaste var Mi Mis röst. När hon var
riktigt liten tillbringade hon största delen av tiden fast-
bunden på Yadanas rygg och hon hade tagit för vana
att sjunga för sin lilla dotter medan hon arbetade på
åkern. Snart kunde Mi Mi flera av sångerna utantill och
då brukade mor och dotter sjunga tillsammans. Mi Mis
röst blev allt vackrare och när hon som sjuåring sjöng
medan hon hjälpte sin mor att laga mat samlades gran-
narna utanför huset, satte sig på marken och lyssnade
hänfört. Åhörarna ökade i antal från vecka till vecka.
Snart uppfyllde de hela trädgården, det stod folk på sti-
gen som löpte förbi huset och det satt människor högst
upp i träden som omgav egendomen. De vidskepligaste
bland dem påstod att Mi Mis röst hade magiska krafter.
De tyckte om att berätta historien om den gamla sjuka
änkan som bodde inom hörhåll och som inte hade läm-
nat sitt skjul på två år, men som en kväll i skymningen
dök upp i folkmassan och började dansa. Och så var

det pojken som bodde i en timmerkoja på andra sidan vägen. Alla kallade honom för Fisken. Hans hud var torr och fjällig och täckt med vita eksem. Ett halvår efter det att Mi Mis sång hade hörts i skymningen för första gången hade eksemen försvunnit.

När Mi Mi var med sin mor på marknaden för att köpa ris och potatis drog hennes sång till sig så stora folkmassor att två poliser kom dit och bad henne sluta sjunga med tanke på säkerheten och ordningen bland allmänheten. En irländsk suput, som ändå hade blivit major i brittiska armén och nu tillbringade ålderdomen i Kalaw, bad att hon skulle sjunga vid hans dödsbädd. Mi Mi ombads att sjunga vid bröllop och dop och i gengäld blev hennes familj rikligen förplägad med te, kyckling och ris. Just som Moe allvarligt började fundera på att arrendera ut sin mark meddelade Mi Mi att hon inte tänkte sjunga mer.

De satt på en bänk i trädgården. Det hade ännu inte börjat skymma men kvällskylan hade redan börjat sprida sig runt omkring. Yadana lade en varm jacka runt Mi Mis axlar. Mi Mi malde barken från ett thanakhaträd i en mortel och Yadana tvättade av tomater och salladslök. Grisen bökade under huset och vattenbuffeln lämnade sin spillning framför trädgårdsgrinden. De kände stanken där de satt. Moe trodde att Mi Mi skojade.

"Varför vill du sluta sjunga?"

"Det är inte roligt längre."

"Vad menar du? Har det hänt något?"

"Nej, ingenting."

"Men din röst blir vackrare för var dag som går!"

"Jag står inte ut med att höra den längre."

"Menar du att du aldrig mer vill sjunga?"

"Jag vill spara rösten."

"Spara den? Till vad?" Moe lät skeptisk.

"Jag vet inte riktigt."

Moe insåg att det inte tjänade någonting till att diskutera. Mi Mi var lika obstinat som sin mor. Det var sällan som Mi Mi envisades, men om hon bestämde sig för något var det omöjligt att tala henne till rätta. I hemlighet beundrade Moe henne för det.

Framför allt Yadana var medveten om hur mycket Mi Mi hade förändrats på sista tiden. Hon hade nyss fyllt fjorton år och hennes kropp började få kvinnliga former. Det var inte bara rösten som blev allt vackrare för varje dag som gick. Visserligen var inte ögonen längre det som man först lade märke till hos henne, men de var fortfarande lika strålande. Hyn hade samma färg som malen tamarind och trots att hon använde händerna som stöd och fortskaffningsmedel var de inte hårda, grova och valkiga utan långa och smala. Fingrarna var så smidiga att Yadana knappt hann se rörelserna när Mi Mi hjälpte henne att laga mat och skalade en bit ingefära och skar den i tunna skivor. För två år sedan hade Yadana lärt Mi Mi att väva och det dröjde inte länge förrän Mi Mi blev ännu skickligare än sin mor i denna konst. Men mest av allt beundrade Yadana henne för att hon rörde sig så självsäkert. Förr i världen hade Yadana haft mardrömmar. Hon hade sett för sig hur Mi Mi kröp som ett djur i smutsen på marknadsplatsen medan åskådarna hånade henne. Hon drömde fortfarande ibland att Mi Mi skulle ta tåget till Thazi och att hon kröp längs perrongen i riktning mot sin järnvägsvagn när ångloket började rulla. Mi Mi kröp allt snabbare men hon hann aldrig med tåget.

Även under dagtid kom Yadana på sig själv med att oroa sig för hur Mi Mi som vuxen kvinna skulle hälsa gäster välkomna i hemmet. Skulle hon krypa emot dem på alla fyra? Så förödmjukande!

Numera kunde hon knappt fatta att Mi Mi uppträdde med en sådan värdighet och förflyttade sig med en sådan självklar säkerhet. Det var inte något djuriskt eller ömkligt i hennes sätt att krypa. Hon klädde sig i de allra vackraste longyis som hon hade vävt själv och trots att hon gled över golvet i dem såg de alltid presentabla ut. När hon förflyttade sig genom att försiktigt placera ena handen och ena knät framför det andra utstrålade hon en sådan värdighet att människorna på marknaden klev åt sidan och behandlade henne med största respekt.

Kapitel 8

Den Julia som jag hittills hade känt – och som jag ansåg mig stå på förtrolig fot med – skulle vid det här laget ha rest sig hastigt upp. Hon skulle ha varit indignerad. Hon skulle ha kastat en föraktfull, genomträngande blick på U Ba och sedan grabbat tag i sin lilla ryggsäck utan ett ord. Eller också skulle hon ha skrattat honom rakt i ansiktet och förklarat att alltihop bara var dumt trams. Hon skulle ha gått sin väg.

Men jag rörde inte en muskel. Trots det fick jag en svag impuls att ställa mig upp, det var som en reflex från en annan tid. Jag visste inte vad jag skulle tro om U Bas berättelse. Den blev för mycket för mig. Var det meningen att jag skulle tro att pappa hade varit blind som ung och att han dessutom hade förlorat sitt hjärta till en krympling? Skulle den här kvinnan vara orsaken till att han hade lämnat sin familj efter nästan trettiofem år? Efter att de hade varit skilda åt i femtio år? Jag tyckte att det lät absurt. Men samtidigt kunde jag inte låta bli att tänka på vad pappa hade sagt: Människor är kapabla till allt, både ont och gott. Det var hans svar när vi fick veta att en kusin till mamma, en from katolik, hade haft en kärlekshistoria med den sextonåriga barnvakten. Mamma kunde inte komma över det. Det där är inte alls likt Walter, sa hon om och om igen. Pappa trodde att det var ett misstag. Det verkade som om han ansåg att vem som helst var kapabel till vad som helst eller han kunde åtminstone inte utesluta den möjligheten bara för att han trodde att han kände någon väl. Han insisterade på att det här inte var karaktäristiskt för en bitter pessimists syn på världen. Tvärtom, hade han påpekat. Det vore värre att förvänta sig något gott från andra och sedan bli besviken när de inte levde upp till våra höga krav. Det ledde till harm och förakt mot mänskligheten.

Jag började urskilja konturerna av pappa i flera av de karaktärsdrag och maner som U Ba hade beskrivit. Det kändes som om jag tjuvlyssnade på ett gräl mellan två motstridiga inre röster. Den ena rösten tillhörde advokaten. Hon förblev skeptisk. Hon ville ha fakta. Hon sökte efter de skyldiga, en domare som skulle skipa rättvisa mellan dem eller som i kraft av sin auktoritet kunde få stopp på den här farsen. Den andra var en röst som jag aldrig hade hört förut. Vänta, ropade den, spring inte härifrån. Var inte rädd.

"Du måste vara hungrig", sa U Ba och avbröt mina tankar. "Jag tog mig friheten att förbeställa en måltid åt oss." Han ropade något som jag inte förstod och strax därpå kom en ung kvinna ut från köket med en bricka med te och mat. Hon bugade och neg sedan hastigt. U Ba reste sig och gav mig två kantstötta fat. På det ena låg tre tunna runda platta bröd och på det andra fanns det ris, brun sås och köttbitar. Han räckte också fram en trådsliten vit servett och en tunn och bucklig sked.

"Det här är burmesisk currystuvad kyckling. Den är mycket mild. Vi äter den tillsammans med indiskt bröd. Hoppas att du tycker om det."

Jag måste ha sett tveksam ut för U Ba skrattade och försökte lugna mig. "Jag har bett min granne att vara extra noga med renligheten vid tillagningen av den här måltiden. Jag vet att vår mat inte alltid passar våra besökare. Men inte ens vi själva är immuna. Tro mig, även jag har tillbringat ändlösa timmar kedjad vid en toalett."

"Det var då ingen vidare tröst", sa jag och tog en tugga av brödet. Jag hade läst i resehandboken att man skulle ta det extra försiktigt med sallader, rå frukt, kranvatten och is. Bröd och ris å andra sidan ansågs vara relativt oproblematiskt. Jag tog lite ris och sås. Det hade en bitter, närmast jordaktig arom, men det smakade inte illa. Kycklingen var så seg att jag knappt kunde tugga den.

Vi åt en stund under tystnad. Sedan sa jag: "Var är pappa?" Orden lät strängare och mer befallande än jag hade menat. Det var advokaten som hade talat.

U Ba såg länge på mig. Han torkade fatet rent med den sista brödbiten. "Du kommer allt närmare honom ju längre tiden går. Märker du inte det?" sa han och torkade sig om munnen med den nötta servetten.

Han tog en klunk te och lutade sig tillbaka i fåtöljen. "Jag skulle kunna berätta med några få ord var han befinner sig. Men när du nu har väntat så länge, i över fyra år, spelar väl några få timmar mer eller mindre inte någon roll? Du kommer aldrig mer att ha möjlighet att få veta så mycket om din far som nu. Vill du inte veta hur det gick för honom och Mi Mi? Hur hon förändrade hans liv? Varför hon betydde så mycket för honom? Varför hon kommer att förändra även ditt liv?"

U Ba väntade inte på mitt svar.

Kapitel 9

Su Kyi märkte med en gång att Tin Win hade varit med om någonting ovanligt. Hon satt utanför trädgårdsgrinden och väntade på pojken och hade just börjat oroa sig för honom. Vägen befann sig i ett uselt skick. Det ihärdiga ösregnet för två dagar sedan hade gjort marken lös och oxkärrorna hade lämnat djupa fåror i leran. Solen hade torkat leran och nu var marken överdragen med en hård skorpa och full av hål och sönderkörda hjulspår. Där var svårt nog även för seende att ta sig fram. Hade det egentligen varit så klokt att låta honom gå ensam i dag av alla dagar? Plötsligt fick hon syn på Tin Win, klädd i rödgrönmönstrad longyi och vit skjorta. Han kom gående uppför backen. Men hans gång såg helt annorlunda ut. Var det verkligen Tin Win?

När kvällen kom var han pratsammare än någonsin. Han underhöll henne med en detaljerad beskrivning av U May och hur uppspelt han själv, Tin Win, var när han klev ut alldeles ensam genom klostergrinden och kom ut på gatan, hur han blev förvirrad och ramlade omkull och blev förargad på sig själv, men att han från och med nu tänkte klara av promenaden helt på egen hand. Han berättade om olika ljud och om fågelfjädrar och bambublad som han hade hört när de fladdrade till marken och om hjärtan som bultade och lät som sjungande röster. Su Kyi gladdes över hans fantasiförmåga.

Men han berättade ingenting om Mi Mi och därför förstod stackars Su Kyi inte vad som hade hänt med Tin Win. Han som brukade sitta tyst och kura i en vrå i timtal kunde nu knappt sitta still. Han vandrade rastlöst omkring i huset och i trädgården. Han hade plötsligt blivit intresserad av marknaden och ville veta varför den bara ägde rum var femte dag och frågade om och om igen när det var dags nästa gång. Tin Win åt allt mindre vid måltiderna och efter tre dagar ville han bara ha en kopp te. Su Kyi visste inte vad hon skulle ta sig till. Det var uppenbart att Tin Win var sjuk, men han klagade inte över några smärtor. Så småningom blev hon bekymrad över hans prat om alla ljud som han hörde. Han var uppenbarligen på väg att förlora förståndet.

Tin Win räknade dagarna och timmarna och minuterna till nästa marknadsdag. Tänk att dagarna kunde vara så långa! Varför tog det en evighet för jorden att svänga runt sin axel? Tiden kröp fram lika sakta som en snigel på en stig i skogen. Kunde han inte göra något för att påskynda tidens gång? Han frågade U May till råds, men den gamle munken skrattade bara.

"Ha tålamod", sa han. "Sätt dig ner och meditera. Då kommer tiden att förlora sin mening."

Under de senaste åren hade det gjort Tin Win gott att meditera, men nu hjälpte det föga. Han provade på att sitta tillsammans med munkarna i klostret, på en äng och på trädstubben framför huset där hemma. Men hur han än försökte och var han än befann sig hörde han Mi Mis hjärta slå. Han hörde hennes röst. Han kände hennes hud. Han förnam tyngden av hennes kropp på ryggen.

Näsan fylldes av hennes doft. Den där milda, söta väldoften som det inte gick att ta miste på. Kvällen före marknadsdagen fick han inte någon ro. Han hörde att Su Kyi lade sig på mattan bredvid honom, vände sig på sidan och drog upp täcket till öronen. En liten stund senare slog även hennes hjärta av på takten och gjorde sig redo för nattvilan. Hjärtat bultade långsamt och regelbundet som om det aldrig skulle sluta slå. Hans eget hjärta dunkade i rasande fart med vilda och obändiga slag. Han visste inte riktigt vad det var som gjorde honom så upprymd. Det var en värld där ögonen inte spelade någon roll när man ville se och där gången inte var beroende av fötter.

Hur skulle han på bästa vis leta reda på Mi Mi på morgonen bland alla salustånd och allt folk? Av Su Kyis beskrivningar drog Tin Win slutsatsen att marknaden var som en flock fåglar som landade på ett fält. Ett virr-varr av röster, ljud och lukter. Det kommer att bli trångt, tänkte han, och människorna kommer att knuffas och skuffas och ingen kommer att ta någon hänsyn till mig. Märkligt nog blev han inte skrämd vid tanken, han som annars var så rädd för folk. Han var övertygad om att han snabbt skulle få tag i Mi Mi. Han skulle känna igen ljudet av hennes hjärtslag. Han skulle följa doften av henne. Han skulle höra hennes röst även om hon bara viskade någonting i broderns öra.

Tin Win stod blickstilla några minuter vid vägkanten. Han knöt sin longyi fastare om midjan. Han hade svettpärlor i pannan och på näsan. Rösterna från marknaden lät högre och mer skrämmande än han hade föreställt sig, likt en brusande bäck som sväller till en hotfull strid ström där man inte kan ta sig över. Hur skulle han få reda på var han befann sig? Han kände inte till gångarna mellan saluständen. Och inte en enda röst kände han igen.

Han satte långsamt men utan att tveka den ena foten framför den andra. Han tänkte låta sig svepas med av folkströmmen. Någon knuffade till honom bakifrån. Han fick en armbåge mellan revbenen. "Se dig för!" röt en karl åt honom. Några som tuggade betelnötter smackade med läpparna och spottade saft på gatan. Ett litet barn gnydde. Det var så många röster och hjärtan runt honom som fnös, stönade, hostade och pladdrade. Det kurrade i deras magar. Ljuden var så starka att han inte kunde skilja det ena från det andra. Men han skulle hitta Mi Mi, det var han övertygad om. Det enda som besvärade honom var hettan. Han hade druckit alldeles för lite vatten i klostret och svettades mer än vanligt. Skjortan var blöt och munnen torr. Plötsligt märkte han att folkmassan delade upp sig åt två olika håll. Han försökte stå kvar där han stod, men trycket bakifrån blev för starkt. Han följde med dem som vek av åt höger.

"Se upp!" ropade en kvinna. Han hörde ett krasande ljud och kände att han hade fått någonting mjukt och vått på fötterna och mellan tårna. Ägg.

"Är du blind?"

Han vände sig mot henne. Hon lade märke till hans

grumliga vita ögon, blev chockad och mumlade en ursäkt. Tin Win sveptes med i trängseln. Det här måste vara fiskstånden. Han andades in den salta, skarpa lukten av torkad fisk. Sedan fick han en bitter lukt av koriander i näsan och därpå den kryddiga, sura aromen av blodstilla, en doft som steg rakt upp i huvudet på honom och brände i slemhinnorna när han andades in. Han kände väldoften av kanel, curry, chilipeppar, citrongräs och ingefära som då och då blandades med den härliga, tunga, sliskiga lukten av övermogen frukt.

Så fort Tin Win finslipade sitt luktsinne slutade folk att knuffa honom. De som kom bakifrån särade på sig som om de kände på sig att det inte tjänade något till att knuffas och trängas. Tin Win spände hörseln till det yttersta. Där var det! Så skört och milt och ändå stadigt. Det ljudet skulle fånga hans öra hur mycket oväsen det än var i världen. I tankarna kände han hennes hud mot sina händer och hennes armar runt halsen. Han följde hjärtslagen som nådde honom från en avlägsen vrå på marknadsplatsen.

Kapitel 10

Mi Mi hade satt sig bredvid en hög med potatis för att
inte vara i vägen. I vänster hand höll hon ett litet runt
parasoll som skydd mot solen. Det var i samma mörkrö-
da nästan bruna nyans som munkarnas klädnader. Hon
hade på sig sin vackraste longyi, som var grönmönstrad
med röd bottenfärg. Hon hade vävt klart tyget så sent
som föregående kväll. Det svarta håret hade hon i en
fläta. På morgonen hade hon bett Yadana att måla två
runda gula cirklar på hennes kinder. Alla kvinnor och
de stora flickorna sminkade sig på det sättet men Mi Mi
hade tidigare avhållit sig från det – fram till nu. Yadana
log, men ställde inte några frågor. När Mi Mi hade satt
sig tillrätta på broderns rygg tog Yadana adjö av henne
med en kyss på pannan. Visserligen gjorde hon likadant
varenda gång som de skulle skiljas åt, men den här kys-
sen var annorlunda. Mi Mi märkte det men hon skulle
ha haft svårt för att sätta ord på vari skillnaden bestod.

Nu satt hon på en hemvävd filt och väntade. San-
ningen att säga hade hon inte gjort annat under de senas-
te fyra dagarna. Hon väntade hela tiden medan hon
kröp över gårdsplanen för att samla in ägg och när hon

plockade jordgubbar bakom huset, hjälpte sin mor med maten, sorterade potatis eller vävde. Hon väntade på att det skulle bli marknadsdag. Hon väntade på Tin Win.

Mi Mi hade inte något emot att vänta. Hon hade redan tidigt i livet lärt sig att väntan var en naturlig del av tillvaron för den som inte kunde gå och som var beroende av andras hjälp. Väntan var så sammanbunden med livsrytmen att det störde henne om någonting hände helt apropå. Hon förstod sig inte på de människor som alltid hade bråttom. En tids väntan innebar ögonblick, minuter och ibland även timmar av lugn och ro då hon brukade vara ensam med sig själv. Hon behövde de här avbrotten för att förbereda sig inför förändringar och nyheter av olika slag. Det kunde handla om ett besök hos mostern i andra änden av byn eller en dag ute på fälten eller på marknaden. Hon förstod inte hur bröderna lyckades undgå att bli överansträngda när de med snabba steg skyndade från ställe till ställe och från den ena till den andra. Om hon helt oväntat fick möjlighet att bli buren till nästa backkrön för att träffa goda vänner tog det alltid en stund innan hon anlände dit på riktigt. Hon brukade sitta tyst under de första minuterna på det nya stället. Det var som om själen följde efter i långsammare takt över dalgången. Hon ansåg att allting krävde ett visst mått av tid. Precis som jorden behövde tjugofyra timmar för att snurra runt sin axel eller trehundrasextiofem dagar för att göra ett varv runt solen anade hon att allt måste få ta tid. Bröderna kallade henne för Lilla snigeln.

Det värsta var tågen och bilarna som en del engelsmän färdades i genom Kalaw och enligt vad som påstods fortsatte de ända till huvudstaden. Mi Mi var inte rädd för det avskyvärda, höga bullret när de dånade fram genom byn så att kycklingarna tog till flykten och hästarna och oxarna skyggade. Hon blev inte heller särskilt arg över stanken som spreds i deras kölvatten. Det var den höga farten som skrämde henne. Var det verkligen möjligt att en människa kunde förkorta den tid det tog att ta sig från en plats eller människa till en annan? Hur kunde någon tänka på det viset?

Mi Mi var glad över att det skulle gå fyra dagar innan det var marknad igen även om hon allra helst hade velat träffa Tin Win redan dagen därpå. Väntetiden innebar att hon skulle få tillfälle att tänka på honom så mycket hon ville och ta god tid på sig för att gå igenom varenda liten detalj i deras senaste möte. Det var också en fördel med att vänta – då fick hon möjlighet att skaka av sig alla eventuella tvivel. Som vanligt när hon lät tankarna vandra dök det upp bilder i huvudet och de bilderna undersökte hon noggrant, som om de vore ädelstenar eller ädla metaller vars äkthet måste fastställas. Hon såg för sig hur Tin Win kom fram till henne och hur hon klättrade upp på hans rygg och hon såg hur han efteråt satt bredvid henne, darrande av iver och glädje. Det hade verkat som om han vore redo att ta henne på ryggen och rymma med henne på jakt efter tiotusentals okända ting.

När hon kom hem satte hon sig en lång stund på verandan med slutna ögon och försökte göra likadant som Tin Win hade gjort. Hon lyssnade intensivt. Grisen grymtade under huset. Hunden snarkade. Hon hörde fågelkvitter och grannarnas röster ... men inte deras hjärtan som bultade. Hon fick lust att fråga Tin Win om han hade något knep och om han kunde lära henne lyssnandets konst. Åtminstone grunderna.

Hon berättade om fågelboet för sin yngste bror men han gjorde narr av henne. Hur i all världen kunde hon tro att någon hade så skarp hörsel? Någon hade förmodligen talat om i förväg för Tin Win att det låg ett ägg i boet. Tin Win ville bara imponera på henne.

Då blev Mi Mi arg, mer på sig själv än på brodern. Det borde hon ha förstått. Det fanns sådant som den som vandrade på två friska fötter genom världen inte kunde begripa. Folk av det slaget trodde att människorna såg med ögonen. Och att fotsteg minskade avstånden.

Kapitel 11

Middagssolen lyste brännhet över marknadsplatsen. Tin Win och Mi Mi flyttade sig närmare varandra och sökte skydd under det lilla parasollet. Mi Mis bror stuvade ner de överblivna potatisarna i en säck. Han tänkte gå i förväg och sedan komma tillbaka och hämta systern.

"Jag kan bära hem Mi Mi. Då slipper du gå två gånger", sa Tin Win.

Mi Mis bror tittade på henne som om han ville säga: Hur ska den här blinde pojken kunna bära dig uppför bergssluttningen? Mi Mi nickade åt honom och sa: "Oroa dig inte."

Brodern tog potatissäcken över axeln, mumlade någonting ohörbart och gav sig av.

"Har du något emot att göra en omväg genom staden?" undrade Tin Win.

"Vi beger oss dit du vill", sa Mi Mi. "Det är du som är tvungen att bära mig, inte tvärtom." Hon skrattade och lade armen om hans hals. Tin Win reste sig långsamt upp. De tog sig nedför en sidogata där en mängd oxkärror och vagnar stod parkerade. Män och kvinnor korsade gatan och lastade fordonen med säckar fyllda med ris och potatis och korgar fulla med frukt. Djuren var rastlösa. Hästarna gnäggade och skrapade i marken och stampade med hovarna. Oxarna frustade och skakade på sig så att oken gnisslade. De är trötta på att vänta och utmattade av hettan och de är hungriga också, tänkte Tin Win. Han hörde hur magarna mullrade. Vagnarna stod huller om buller på gatan och tillsammans med alla främmande ljud tyckte han att de bildade en mur som han säkert skulle stöta emot när som helst nu. Var fanns vägvisaren som hjälpte honom att undvika de svåraste malörerna? Som förvarnade honom om diken och gropar, stenar och trädgrenar, hus och träd, åtminstone när han var uppmärksam? Nu kändes det som om han smög i en labyrint där höga murar hindrade hans framfart. Där hörn och kanter väntade på att bringa honom på fall. Ett virrvarr av vägar där han inte kunde göra annat än gå vilse. Hur skulle han någonsin lyckligt och väl få hem Mi Mi?

Aldrig förr hade han känt sig så besvärad av blindheten som nu. Han kände hur knäna vek sig och så började han vaja av och an. Hans lokalsinne fungerade inte. Var befann han sig? Gick han runt i en cirkel? Vandrade han rakt mot avgrunden? Hur skulle han kunna veta om nästa steg skulle bli det sista? Snart skulle han inte längre ha fast mark under fötterna. Han skulle tappa balansen och tumla med huvudet före ner i tomma intet, vilket han alltid hade fruktat.

"Ta det försiktigt! Om du tar två steg till stöter du emot en korg tomater", viskade Mi Mi i örat på honom.

"Ta lite mer till vänster. Bra. Rakt fram! Stopp!"

Hon drog försiktigt hans axlar åt höger. Han tvekade ett ögonblick och sedan vände han sig nittio grader. Det måste vara en oxe framför dem. Dess väldiga hjärta bultade som den sordindämpade trumma som munkarna ibland slog på i klostret. Djurets andedräkt kändes fuktig mot huden.

"Rakt fram!"

"Rakt fram var det." Han vågade inte lyfta på fötterna utan hasade vidare. Några steg senare drog hon försiktigt i hans vänstra axel och då vek han av åt det hållet. Han törnade emot ett föremål av trä och ryckte till.

"Förlåt, det var en kärra. Jag trodde att vi hade hunnit förbi den. Gör det ont?"

Tin Win skakade på huvudet och vandrade långsamt vidare tills hon drog honom i axeln igen och varsamt ändrade kursen.

"Lyft foten, här ligger det en säck ris."

Han trevade efter säcken med tårna och tog sedan ett stort kliv.

"Bra", sa Mi Mi och gav honom en snabb kram.

De fortsatte. Mi Mi styrde med försiktiga rörelser Tin Win på gatorna som om hon styrde en båt genom en fors. För varje slingrande gata, varje hörn och varje hinder som klarades av blev hans steg allt fastare och självsäkrare. Han lugnades av att höra hennes röst tätt intill örat. Han litade på hennes instruktioner. Han, som så ofta inte trodde på sina egna sinnen, upptäckte att han förlitade sig helt på Mi Mis synförmåga.

Hon torkade honom om halsen med sin longyi.

"Är jag för tung?" frågade hon.

"Nej, inte alls."

Hur skulle han kunna förklara att han kände sig lättare med henne på ryggen?

”Är du törstig?”

Han nickade.

”Vi kan köpa nypressad sockerrörssaft där borta.” Den var dyr, men Mi Mis mor lät henne dricka ett glas en gång i månaden efter marknaden och hon skulle säkert inte ha något emot att Mi Mi bjöd Tin Win på det. Han märkte att de hade klivit in i skuggan under ett stort träd. ”Stanna här och sätt ner mig”, sa hon.

Han böjde sig ner och stödde ena knät i marken. Hon gled långsamt ner från hans rygg, satte sig på en träpall framför saluståndet, ställde en annan pall bakom Tin Win och drog honom i handen. Utan att tveka slog han sig ner på den.

De satt nu under ett banyanträds vida lövkrona. Mi Mi beställde två glas saft. Tin Win hörde att sockerröret krossades i saftpressen. Det påminde om hur det krasade när han trampade på en kackerlacka i köket där hemma. Hade Mi Mi lagt märke till att han blev rädd? Spelade det någon roll? Hon hade väglett honom genom labyrinten. De hade inte gått rakt in i en vägg och inte heller hade de fallit ner i en avgrund. Hon hade byggt broar och rivit ner murar. Hon var en riktig trollkonstnär.

Mi Mi tog en klunk av saften. Hon kunde inte föreställa sig att det fanns någonting som smakade godare än det här. Hon kastade en blick på Tin Win. Aldrig hade hon kunnat tro att ett ansikte med oseende ögon kunde utstråla en sådan glädje. Hon log och han besvarade leendet. Hon tänkte inte ens på hur konstigt det var.

”Vad hör du just nu, Tin Win? Mitt hjärta?”

"Ja, det också."

"Kan du lära mig?"

"Vad då?"

"Att höra hjärtats slag."

"Jag tror inte det."

"Snälla, du kan väl försöka!"

"Jag vet inte hur jag ska börja."

"Men du vet hur du ska göra."

Tin Win funderade en stund. "Blunda", sa han. Mi Mi slöt ögonen. "Vad hör du?"

"Röster. Fotsteg. Pinglandet från klockorna på seldonen."

"Ingenting annat?"

"Jo, självklart gör jag det. Jag hör fåglar som kvittrar, någon som hostar och ett barn som gråter men jag hör inte några hjärtan som bultar."

Tin Win satt tyst. Mi Mi fortsatte att lyssna. Efter några minuter flöt ljuden ihop och blev lika suddiga som tavlor för en tårfylld blick. Hon hörde blodet susa i öronen, men inte hur hjärtat bultade och ännu mindre Tin Wins eller någon annans hjärtslag.

"Det är nog för mycket oväsen här", sa Tin Win efter att ha suttit tyst en lång stund. "Vi behöver vara någonstans där det är tystare. Vi kan väl ge oss av nu så kan vi göra ett nytt försök när vi hittar ett ställe där vi inte hör annat än vinden, fåglarna och våra egna andetag." Han ställde sig på knä framför Mi Mi. Hon tog tag i hans axlar. Han reste sig upp och hon korsade benen över hans mage.

De tog sig nedför en lugnare gata. Han kände hennes andetag mot halsen. Så lätt hon var! Det var nära att

178

han klev på en hund som låg och sov i skuggan av ett hus dit inte solstrålarna nådde.

"Ursäkta, jag såg inte hunden", sa Mi Mi.

"Inte jag heller", sa Tin Win. Sedan skrattade de.

Bakom järnvägsstationen ledde Mi Mi honom bort från gatan. "Jag vet en genväg", sa hon. När de hade kommit några meter längre bort befann de sig med ens på en liten slänt omgiven av hibiskusbuskage. Tin Win kände igen den tunga, söta doften. Han sträckte ut ena foten och märkte att det bar nedför. Det var inte särskilt brant men ändå så pass att han skulle kunna tappa balansen.

"Det går nog lättare baklänges", sa Mi Mi. Hon var van vid att susa nedför slänter som denna på broderns rygg när han tog sig ner med några snabba kliv. Tin Win gjorde helt om och började försiktigt hasa nedåt. Mi Mi nådde buskagen med ena handen och tog ett fast tag om grenarna. De gled långsamt nedför slänten och snart hade Tin Win åter fast och stenig mark under fötterna.

"Var är vi?" frågade han.

"På järnvägsbanken", sa Mi Mi. "Vi kan gå på träsyllarna mellan spåren. Det gör mina bröder ständigt och jämt."

Tin Win stod stilla. Hon kunde lika gärna ha sagt Mandalay. Eller Rangoon. Eller London. Fram till nu hade järnvägsbanken varit utom räckhåll för honom. Han kände bara till den genom de andra skolpojkarnas berättelser. De skröt ofta om sina eskapader på spåren medan de väntade på det svarta ångloket. De lade tallkottar eller flaskkapsyler på spåren eller satte djärvheten på prov genom att krypa så nära de kunde när ett tåg for förbi. En gång i tiden hade Tin Win drömt om att få följa med. Så småningom hade han gett upp hoppet. Järnvägsbanken tillhörde inte hans värld. Den tillhörde de seende.

Nu var det han som gick mellan spåren och snart hittade han en rytm som fick honom att självsäkert sätta foten på en syll vid varje steg. Här behövde han inte oroa sig för att gå emot ett träd eller en buske eller snava över någonting. Han klättrade på en stege ut ur en kall och fuktig grotta och för varje kliv blev omvärlden allt ljusare och varmare. Han gick allt snabbare och snart hoppade han över en syll och började springa. Mi Mi sa ingenting. Hon höll hårt i honom med slutna ögon och vaggade i takt med stegen som på en hästrygg. Tin Win tog stora långa kliv och sprang så fort han kunde. Han hade slutat oroa sig för avståndet mellan syllarna och hörde bara hur hjärtat bultade, ett trummande som sporrade honom att springa vidare. Det ljöd allt högre och starkare. Ljudet var vilt och mäktigt. Larmet ekade genom dalen och bort över bergen. Inte ens ett ånglok dånade högre, tänkte han.

När Tin Win äntligen hejdade sina steg och blev stående var det som om han vaknade ur en dröm. "Förlåt", sa han andlöst.

"För vad?" undrade Mi Mi.

"Var du inte rädd?"

"För vad då?"

De lade sig i gräset och Mi Mi såg rakt upp i skyn. Det var sent och solen skulle snart gå ner. Hon tyckte att den blå skymningen var den vackraste stunden på dygnet, näst efter gryningstimmen. Ljuset var annorlunda. Det var så klart att bergen, träden och husen avtecknade sig i skarpare silhuett än mitt på dagen. Hon tyckte om människornas röster om kvällen och den härliga doften från eldarna som brann framför husen i skymningen.

"Har du någon aning om hur ett hjärta låter?" frågade Tin Win.

Mi Mi grubblade på om hon någonsin hade hört ett hjärta slå. "En gång tryckte jag örat mot mors bröst eftersom jag ville veta var bultandet kom ifrån. Men det var länge sedan." På den tiden hade hon trott att det satt ett djur i moderns bröst som bultade på revbenen för att det ville komma ut.

Kapitel 12

Tin Win kunde inte sova den natten. Inte heller nästa och inte natten därpå. Han låg bredvid Su Kyi och tänkte på Mi Mi. Han låg vaken tre nätter i rad men var ändå inte trött. Tvärtom kände han sig på alerten. Sinnena, tankarna och minnena var klarare och tydligare än någonsin. Mi Mi och han hade tillbringat en eftermiddag tillsammans och minnet av denna samvaro vårdade han ömt som en talisman. Han kom ihåg vartenda ord som hade växlats mellan dem, han kom ihåg vartenda tonläge i hennes röst och varje slag som hördes från hennes hjärta.

Den eftermiddagen då han bar Mi Mi på ryggen och hörde hennes röst i örat och kände hennes lår runt höfterna hade han för första gången i livet känt en glimt av glädje och något som påminde om välbehag. Känslan var honom så främmande att han inte ens visste vad han skulle kalla den. Lycka, sorglöshet, nöje – för honom var det ord utan innehåll, ljud utan mening. Han insåg att varje dag krävde mycket energi från hans sida. Han vaknade i den grumliga vita dimman och måste treva sig fram i en värld där andra hade vänt honom ryggen.

Plötsligt kände han sig outhärdligt ensam trots att han hade Su Kyi och U May som stod honom nära. Han respekterade dem bägge två, han litade på dem och var oändligt tacksam för den omtanke och kärlek som de visade honom. Trots detta kände han en underlig distans till dem, precis som till alla andra han mötte. Tänk så ofta han hade suttit vid brasan i klostret tillsammans med munkarna och de andra noviserna och önskat att han hade hört ihop med dem, att han hade ingått i en grupp eller i ett system. Han hade önskat att han hade känt något för de andra – tillgivenhet, vrede eller åtminstone nyfikenhet. Vad som helst. Men han kände bara en stor tomhet och förstod inte varför det var på det viset. Även om någon rörde vid honom och lade armen om hans axlar eller tog honom i handen förblev han kall och oberörd. Dimman som fördunklade hans blick tycktes ha lagt sig i ett tätt lager mellan honom och omvärlden.

Men med Mi Mi var det en helt annan sak. Hennes ögon såg åt honom. Med hennes hjälp kände han sig inte som gäst hos verkligheten. Hon fick honom att känna sig delaktig i det som hände runt omkring, på marknaden och i byn. Han kände sig hel som människa.

Med Mi Mi vid sin sida fylldes han av livsglädje.

Under de närmast följande månaderna tillbringade de varenda marknadsdag tillsammans och de utforskade Kalaw med omgivningar som om de hade upptäckt en plats som inte fanns på kartan. De undersökte staden gata för gata och hus för hus med vetenskaplig noggrannhet. De satt ofta på huk vid vägkanten i timtal. Under expeditionerna hann de oftast inte med mer än en enda gata eller en bit av en äng.

Med tiden skapade de en fast ritual när de ville locka hemligheterna ur denna nya värld. När Tin Win hade tagit några steg gjorde de paus och satt tigande och orörliga en stund. De var tysta några minuter, en halvtimme och ibland ännu längre. Tin Win begrundade ljuden och dess olika nyanser och alla störningar och brus. Sedan beskrev han detaljerat vad han hörde och då berättade Mi Mi för honom vad hon såg. Likt en konstnär målade hon upp scenerierna för honom, till en början mer översiktligt men så småningom alltmer noggrant och exakt. Om bild och ljud inte passade ihop började de spana efter källan till de främmande ljuden. Mi Mi kröp genom häckar och buskage, hasade sig över blomrabatter och under hus, drog ut stenar ur murar och satte dit dem igen. Hon rotade igenom vedstaplar och grävde med händerna på ängar och åkrar tills hon hittade det som Tin Win hörde: sovande ormar, sniglar, daggmaskar och mott och mal. För varje dag som gick lärde sig Tin Win mer och mer om världen runt omkring. Tack vare Mi Mis beskrivningar kunde han koppla ihop ljuden med föremål, växter och djur. Han lärde sig att vingslagen hos en makaonfjäril lät högre och klarare än de hos en monarkfjäril och att bladen på ett mullbärsträd prasslade annorlunda i vinden än de på guavaträdet. Han lärde sig att man måste skilja på hur det lät när en trämask och en kålmask tuggade och att det lät annorlunda från den ena flugan till den andra när de gned bakbenen mot varandra. Det här var ett helt nytt alfabet.

Tin Win hade mer bekymmer med de ljud som människorna gav ifrån sig. Strax efter det att han hade förlorat synen började han lägga märke till röster och lärde sig att särskilja och återge dem. De blev en kompass som ledde honom rätt i människornas känslovärld. Han hörde på Su Kyis röst om hon var trött eller arg. Han hörde på sina kamrater om de var avundsjuka på hans goda resultat i skolan och på munkarna om de var irriterade på honom och om andra tyckte om honom eller ej. Allt avslöjades genom tonläget hos den som talade med honom.

Alla röster hade sina karaktäristiska uttrycksformer och detsamma gällde alla hjärtan. Tin Win hade inga svårigheter med att känna igen främmande personer på hjärtslagen efter två tre möten även om bultandet aldrig lät absolut likadant. Hjärtslagen avslöjade mycket om kropp och själ och ändrades med tiden och situationen. Hjärtana kunde låta unga eller utslitna, glada eller uttråkade, gåtfulla eller förutsägbara. Men vad skulle han tro när en människas röst och hjärta var på kollisionskurs och berättade olika historier som inte passade ihop? Ta U May till exempel. Hans röst hade alltid låtit stark och robust, som om den vore opåverkad av årens gång. Tin Win föreställde sig honom som ett högt gammalt pinjeträd med kraftig stam som inte stormarna, som då och då for fram över Shan-platån, kunde rubba. Som en av pinjerna under vilka han förr i världen hade lekt och känt sig trygg. Men U Mays hjärta lät varken starkt eller robust. Det lät svagt, skört, trött och utslitet. Det påminde Tin Win om hur han som barn hade sett ett par utmärglade oxar som hasade förbi huset där han bodde. De var spända framför en tung kärra fullastad med plankor och säckar med ris. Han hade tittat efter dem, övertygad om att de skulle falla döda ner innan de kom upp till bergskrönet. Varför stämde inte U Mays röst ihop med hjärtat? Vad skulle han lita på? Rösten eller hjärtat? Han hade inga svar på dessa frågor. Men med stöd av Mi Mi trodde han nog att han skulle hitta en lösning på problemen. Åtminstone en del av dem.

Kapitel 13

Mi Mi kom exakt ihåg när hon för första gången hade hört talas om Tin Win. Två år tidigare hade en av hennes bröder börjat som novis i klostret. När hon tillsammans med sin mor hade varit på besök hos brodern hade han berättat om en blind pojke som hade ramlat samma morgon med en thabeik i händerna. Han hade inte släppt taget om skålen eftersom han var rädd att spilla ut maten och hade därför landat på näsan och gjort sig illa i ansiktet. Han blödde ur näsan och munnen och vad värre var, han hade tappat en hel dags insamlat ris på den smutsiga marken. Pojken var antagligen osedvanligt klumpig, men han var ju blind, och i skolan var han bäst i klassen. Mi Mi blev sorgsen när hon hörde denna historia men hon förstod inte varför. Påminde gossens missöde henne om hennes egna försök att ta några steg med sina krokiga fötter bakom huset där ingen kunde se henne? Kom hon att tänka på smärtan och de två steg som hon lyckades ta innan hon föll omkull i dammet på marken? Hon undrade varför Tin Win hade snubblat, om det inträffade ofta, och hur han lyckades ta sig fram över huvud taget. Hur hade han känt sig? Tänk att ligga där i smutsen och veta att riset som skulle räcka till allihop var förstört. Hon kunde inte låta bli att tänka på den dag då hon spelade kula med sina vänner framför huset. De andra barnen såg förundrade på glaskulorna som hon hade fått i gåva av en engelsman. De rullade ner kulorna i små gropar och Mi Mi var stolt över att kunna visa dem hur spelet gick till. Plötsligt reste sig en flicka upp och meddelade att hon var uttråkad. De kunde väl springa ikapp i stället? Försten till eukalyptusträdet vann. Och iväg sprang de, allihop. Mi Mi samlade långsamt ihop sina kulor. En enda gång hade hon frågat sig varför. Hon hade insett att hon aldrig skulle få något svar. Hennes fötter var en nyck av naturen. Det hade varit meningslöst att revoltera eller söka efter orsaker till att hon hade blivit handikappad. Hon tänkte inte anklaga ödet. Men visst gjorde det ont inombords.

Värre än smärtan var avståndstagandet från de övriga i familjen vid dessa tillfällen. Hon älskade sina föräldrar och sina bröder djupt och innerligt, men det faktum att de inte förstod vad som pågick i Mi Mis inre gjorde att hon kände sig nästan lika ensam och isolerad på grund av detta som av att inte kunna stå på sina fötter. Brödernas omtanke om henne var dock rent rörande. De turades om med att bära henne till åkern eller ner till sjön och de tog med henne till byn och till marknaden och även till släktingarna som bodde på en fjärran belägen gård uppe bland bergen. De tyckte inte att de gjorde en uppoffring utan såg allt detta bärande som en del av arbetet, i stil med att hugga ved på morgonen, kånka på vattendunkar eller plocka potatis om hösten.

De väntade sig självfallet inte något tack. Om Mi Mi var ledsen och grät utan påtaglig anledning – något som inte inträffade särskilt ofta, men visst hände det – stod de samlade runt henne men visste inte vad de skulle säga eller göra. De såg förbryllade ut, som om de ville säga: Vi gör allt för att du ska få ett bra liv. Varför är inte det nog? Eftersom Mi Mi inte ville verka otacksam brukade hon svälja gråten så gott det gick. Det var samma sak med modern. Yadana beundrade sin dotter och det visste Mi Mi. Hon var stolt över att hennes Lilla snigel bar sitt handikapp med sådan styrka och värdighet. Och Mi Mi ville vara stark, även om det ibland bara var för att inte göra sin mor besviken. Men hon längtade också efter stunder när hon kunde få vara svag och inte behövde bevisa något för någon. Varken för föräldrarna eller bröderna eller sig själv.

Några dagar senare satt hon på klosterverandan och då pekade hennes bror på Tin Win som höll på att sopa gården.

Mi Mi kunde inte slita blicken från honom. Hon häpnade över att han städade så noggrant på en plats som han inte kunde se. Då och då stannade han till och höjde huvudet som om han kände doften av något särskilt eller hörde någonting ovanligt.

Under de följande dagarna tänkte Mi Mi ofta på Tin Win och nästa gång som hon var på besök i klostret stod hon kvar i trappan tills hon fick syn på honom igen. Han hade famnen full med ved och klev uppför trappan alldeles intill där hon stod och gick in i köket utan att ha lagt märke till henne. Hon följde efter och iakttog honom på avstånd. Han bröt ett par kvistar mitt itu och slängde dem i elden. Han hällde vatten i en kastrull och ställde den på spisen. Det verkade som om han gjorde detta utan minsta ansträngning. Mi Mi imponerades av hans lugna, eftertänksamma rörelser och den stilla värdighet som hela hans gestalt utstrålade. Det verkade som om han var tacksam för vartenda steg som han kunde ta utan att falla omkull och varenda rörelse som han utförde utan att skada sig. Var livet som blind lika enkelt för honom som det verkade? Eller kostade det honom lika stor ansträngning som hennes eget liv som handikappad? Skulle han förstå vad som rörde sig inom henne när de andra barnen sprang till eukalyptusträdet? Och hur hon upplevde det när hennes mor stolt såg på henne fast hon kände sig allt annat än stark? Och hur det var när hennes bröder bar henne förbi grannflickorna som satt vid vägkanten tillsammans med några unga män och sjöng sånger medan de blygt höll dem i handen? Hon hade velat prata med Tin Win åtskilliga gånger eller krypa i vägen för honom så att han skulle snava och på det viset bli medveten om hennes existens. Men hon motstod frestelsen, inte för att hon var blyg utan för att hon var övertygad om att det inte behövdes. Förr eller senare skulle de träffa varandra. Varje enskilt liv hade sitt förlopp och det måste levas i sin egen takt. Mi Mi trodde att det var omöjligt att påverka den saken.

Hon blev inte förvånad när Tin Win en eftermiddag i klostret plötsligt stannade till på väg till köket, vände sig om som om han hade fått upp ett spår, gick fram till henne och satte sig på huk. Hon såg honom rakt i ansiktet och läste mer i hans grumliga, beslöjade ögon än hon kunde i föräldrarnas och brödernas blickar. Hon såg att han visste vad ensamhet var, att han förstod varför det regnade inom en även om solen lyste och att man inte behövde ha något särskilt skäl för att känna sig sorgsen. Hon blev inte ens förvånad när han berättade om hennes hjärta som bultade. Hon trodde på vartenda ord.

Mi Mi levde bara för marknadsdagarna och för första gången i sitt liv blev hon otålig och räknade timmarna och minuterna och kunde knappt bärga sig tills de åter skulle mötas. Hon längtade så mycket efter Tin Win att hon efter några månaders bekantskap ville hämta honom när han var klar med sina lektioner i klostret. Skulle han bli glad om hon kom eller skulle han tycka att hon trängde sig på? Hon kunde ju låtsas att hon av en ren slump råkade komma förbi i sällskap med sin bror. Men när Tin Win hörde att hon väntade på verandan kom han raka vägen fram till henne. Hans leende fick hennes tvivel och oro att skingras. Han var minst lika lycklig som hon själv. Han satte sig bredvid henne och tog henne i hand utan att säga ett ord. Från den stunden träffades de varje dag.

Utan att förtröttas bar Tin Win henne genom byn och över fälten, uppför bergssluttningarna och ner igen. Han bar henne i ösregn och storm och i brännande middagshetta. På hans rygg och i hans sällskap sprängdes gränserna runt hennes lilla värld. De flackade omkring och tog igen alla de år när staketet omkring trädgården hade varit hennes horisont.

De dagar under monsuntiden då de riskerade att sjunka ner i leran på grund av regnet stannade de inom klostrets väggar och tog sin tillflykt till Tin Wins böcker. Hans fingrar flög över sidorna och nu var det hans tur att frammana bilder inför hennes ögon. Han läste högt och hon låg bredvid honom och njöt av hans vackra stämma. Hon reste i hans sällskap från den ena kontinenten till den andra. Mi Mi, som inte skulle ha kunnat ta sig till grannbyn på egen hand, åkte nu världen runt. Tin Win bar henne uppför landgången till oceanångare och från ett däck till nästa, hela långa vägen upp till kaptensbryggan. Vid ankomsten till hamnarna i Colombo, Calcutta, Port Said och Marseille regnade det konfetti och fartygets egen orkester gav konsert. Han bar henne genom Hyde Park och de blev yra i huvudet på Piccadilly Circus. I New York höll de på att bli överkörda påstod Tin Win eftersom Mi Mi hela tiden tittade upp i skyn i stället för att hålla ögonen på trafiken och leda honom genom de ravindjupa gatorna. Hon var inte någon börda. Han behövde henne.

Med stort tålamod lärde Tin Win henne att höra. Hennes hörsel var naturligtvis inte lika skarp som hans. Hon skulle inte kunna höra hans hjärta slå utan att lägga huvudet mot hans bröstkorg. Hon kunde inte heller skilja trollsländor åt genom att lyssna på deras surrande eller grodor på deras kväkande, men han bemödade sig om att lära henne att lyssna på ljud och röster och inte bara höra dem utan också betyga dem sin vördnad.

Numera, när alla möjliga människor talade med Mi Mi, fokuserade hon först på röstens timbre eller färg som hon kallade det. Klangen sa ofta mer än de talade orden. På marknaden insåg hon genast vilka kunder som tänkte pruta och vilka som accepterade hennes pris på potatisen. Hon gjorde bröderna häpna och förbryllade när hon efter att bara ha hört några meningar från dem på kvällarna kunde säga hur de hade haft det under dagen och om de var glada, uttråkade eller irriterade. Lilla snigeln förvandlades till Lilla synska snigeln.

En dag blev Tin Win genast orolig när Mi Mi inte som vanligt satt och väntade på honom vid tolvtiden i klostertrappan. De hade träffats dagligen i mer än ett år och kvällen innan hade hon inte sagt ett ljud om att hon inte skulle komma dit. Var hon sjuk? Varför hade inte någon av hennes bröder kommit till klostret och berättat det för honom? Tin Win gav sig genast iväg till deras bondgård. Det hade ösregnat på natten och marken var våt och hal. Tin Win ansträngde sig inte för att höra vattenpölarna i förväg utan plaskade rakt ner i dem, korsade den öde marknadsplatsen och skyndade uppför bergssluttningen. Han halkade omkull flera gånger men reste sig genast och ägnade inte en tanke åt sina genomvåta och leriga kläder. Han rusade rakt på en gammal bondkvinna. I upphetsningen hade han varken hört hennes röst eller hjärtslag.

Huset var tomt. Till och med hunden var borta. Grannarna hade inte en aning om vart familjen hade tagit vägen.

Tin Win försökte lugna ner sig. Vad i all världen kunde ha hänt? De var förmodligen ute på åkern och skulle snart komma hem igen. Men det gjorde de inte. När skymningen föll greps han än en gång av oro. Han ropade på Mi Mi. Han skakade ledstången i trappan tills den gick sönder. Han fick för sig att han hade fått tillbaka synen. En jättestor fjäril störtade ner från skyn likt en rovfågel, landade på ängen och kröp emot honom. Tin Win klättrade upp på en stubbe. Röda prickar susade emot honom. När de träffade honom genomfors han av en brännande smärta. Han försökte undvika prickarna och sprang tvärs över gårdsplanen med blodet rinnande från pannan och hakan. Tre grannpojkar följde honom hem.

Kapitel 14

Su Kyi hade aldrig förr hört någon klaga sin nöd på det här viset. Ropen ljöd högt och genomträngande, men det var inte volymen som var det mest skrämmande och underliga med dem. Det här var inget jämmerligt klagande utan en våldsam revolt där skrina präglades av vrede och tvivel. De var en plåga för själen, inte för öronen.

Hon blev genast klarvaken och såg på Tin Win som gav utlopp för sin sorg. Han satt bredvid henne med munnen på vid gavel och vrålade rakt ut. Hon kallade på honom, men han svarade inte. Hon visste inte ens om han var vaken. Hon tog ett fast tag om hans axlar och ruskade honom. Kroppen var spänd, ja, nästan stel. "Tin Win! Tin Win!" ropade hon, smekte honom över kinden och lade händerna om hans ansikte. Det lugnade honom. Efter en stund sjönk han sakta ner på sovmattan igen och där kröp han ihop med knäna uppdragna till bröstet och sov vidare med huvudet lutat mot hennes händer.

När Su Kyi vaknade i gryningsljuset låg Tin Win bredvid henne och kved. Hon viskade hans namn men han svarade inte. Hon gled i sin longyi, drog en blus och en tröja över huvudet och lade en filt över honom. Han hade kanske blivit förkyld, tänkte hon. Kvällen innan hade han inte kommit tillbaka förrän efter mörkrets inbrott. Tre pojkar hade hjälpt honom hem. Tin Win hade sett hemsk ut – blodig och lerig och med en massa skärsår i huvudet. Han hade lagt sig på mattan utan att yttra ett ord.

Hon gick ut i köket och gjorde upp eld. Gårdagens kryddstarka kycklingsoppa med ris skulle göra honom gott.

Till en början lade hon inte märke till flämtningarna och hulkningarna. När hon kom in i sovrummet låg han på knä framför det öppna fönstret och kräktes. Det lät som om hans kropp eftertryckligt höll på att befria sig från allt han hade ätit. Uppkastningarna kom i vågor och ju mindre han fick upp, desto våldsammare darrade han. Till slut skakade han i hela kroppen men fortsatte spy ända tills det enda som kom ut ur munnen var en grönaktig, illaluktande sörja. Hon släpade honom tillbaka till sovmattan och stoppade om honom. Han famlade efter hennes hand. Hon satte sig bredvid honom och lät honom vila huvudet i hennes knä. Det ryckte i läpparna på honom och andningen lät ansträngd.

Tin Win visste inte om han drömde eller var vaken. Han hade inte längre någon uppfattning om tid och rum. Sinnena vändes inåt. Dimman framför ögonen ersattes av ett ödesdigert mörker. Han hade en frän stank i näsan, det var lukten av hans egna inälvor. Öronen registrerade ingenting förutom ljuden från hans egen kropp. Blodet som pulserade. Magen som gurglade och bubblade, kluckandet i tarmarna. Hjärtat. Ovanför allt-ihop kretsade rädslan. Den hade varken namn eller röst. Den bara fanns där. Den fanns överallt, precis som luften han andades. Den styrde över hans kropp, den härskade över hans tankar och drömmar. När han sov hörde han Mi Mis hjärta bulta och då ropade han på henne, men hon svarade inte. Han sökte efter henne, han sprang i riktning mot bultandet, men han kom aldrig fram. Han sprang allt snabbare men kom inte närmare henne. Han sprang ända tills han föll ihop av utmattning. Eller också såg han Mi Mi som satt på en pall och då gick han fram till henne, men plötsligt öppnade sig marken och svalde honom. Det blev mörkt och han föll och det fanns inte något som han kunde hålla sig i. Han blev varmare och varmare och med ens märkte han att han hade landat och höll på att sjunka ner i ett sjudande träsk. Sedan började drömmen om från början igen. Varför drömde han inte om sin egen död?

Men det var inte döden som skrämde honom utan allt annat. Varenda beröring. Vartenda ord. Varenda tanke. Vartenda hjärtslag. Nästa andetag.

Han kunde inte röra sig. Han kunde inte äta. Han spottade ut teet som Su Kyi hällde i honom. Han hörde hennes röst, men hon var långt borta. Han kände hennes hand men var inte säker på om hon verkligen rörde vid honom.

Gång på gång for U Mays ord genom huvudet på honom. "Det finns bara en enda kraft som är starkare än rädslan." Men vilken kraft kan bota rädslan för kärleken, U May?

När det hade gått tre dygn visade Tin Win fortfarande

inga tecken till förbättring. Su Kyi masserade honom i flera timmar. Hon gned in honom med örter. Hon hade suttit vid hans sida i sjuttiotvå timmar. Han klagade inte över smärta, han hostade inte och hans kropp kändes snarare för kall än för varm, tyckte hon. Su Kyi hade ingen aning om vad som fattades honom, men hon var övertygad om att det var någonting allvarligt och det verkade som om han måste sätta livet till. Hon funderade på vem hon skulle kunna fråga till råds. Hon var lika skeptisk mot sköterskorna och läkarna på det lilla sjukhuset som mot astrologer och medicinmän bland Burmas olika folkslag. Om någon skulle kunna hjälpa henne så var det U May. Tin Win led kanske inte alls av någon sjukdom, tänkte hon. Kanske hade andar och demoner, vilka såvitt Su Kyi kände till bodde inom oss alla, vaknat till liv och väntade bara på att komma upp ur sina gömslen och visa sin rätta skepnad. Sagt och gjort. Hon ställde en kopp te bredvid Tin Win som låg och sov och sedan skyndade hon till klostret.

Hon skildrade in i minsta detalj det som hade hänt de senaste tre dygnen för U May, men han verkade inte särskilt oroad över det som hon hade att berätta. Han mumlade någonting om ett virus, kärleksviruset, ett smittämne som alla bar på om hon förstod honom rätt, men som bara drabbade några få. Men när viruset väl hade aktiverats ingick till en början även rädsla i bilden samt våldsamma utbrott som kunde skapa förvirring till både kropp och själ. I de flesta fall försvann symptomen med tiden.

I de flesta fall, hade U May sagt. Men Su Kyi kunde inte låta bli att tänka på en gammal historia om hennes mors grandonkel som inte hade lämnat sin bädd på trettiosju år och som i åratal låg orörlig på sin sovmatta utan att säga ett ord och stirrade i taket, vägrade att äta själv och överlevde tack vare sina släktingar som med änglalikt tålamod matade honom varenda dag. Allt detta berodde på att han hade älskat grannflickan i sin ungdom, men henne hade föräldrarna tvingat till giftermål med en annan.

Det fanns ännu en historia, den här gången handlade den om Su Kyis brorson som förlorade sitt hjärta till en flicka i byn och som satte sig och sjöng kärlekssånger utanför hennes hus i skymningen varenda kväll. Det var ingenting ovanligt med det, de flesta unga par i Kalaw ägnade sig åt sådant. Men brorsonen slutade inte sjunga ens när det stod fullständigt klart att flickans anhöriga inte uppskattade hans närmanden. Efter ett tag sjöng brorsonen inte bara under kvällstimmarna utan dagarna i ända och när han även började sjunga om nätterna blev hans bröder tvungna att komma dit och bära bort honom eftersom han vägrade att gå. När han kom hem klättrade han upp i ett avokadoträd och slutade inte med att sjunga förrän han tappade rösten efter drygt fyra veckor. Från den stunden rörde han på läpparna i takt med melodin och läpparna formade orden i sången som handlade om hans eviga kärlek. Ju längre hon tänkte på saken, desto fler historier mindes hon som handlade om bönder, munkar, köpmän, guldsmeder och kuskar och även en del engelsmän som på liknande sätt hade förlorat förståndet.

Kanske hade Tin Wins tillstånd med Kalaw att göra. Där spreds måhända en osedvanligt smittsam virusstam.

Eller också berodde hans sjukdom på bergsluften eller klimatet. Någonting i den här karga delen av Sydostasien gjorde att klimatet var mycket strängt.

U May ansåg inte att det fanns någon anledning till oro.

När Su Kyi kom hem låg Tin Win fortfarande orörlig på sovmattan. Hon malde eukalyptusblad i morteln och höll den under hans näsa i hopp om att det skulle stimulera luktsinnet. Hon försökte samma sak med en bukett jasminer och hibiskusblommor. Hon masserade hans huvud och fötter, men han reagerade inte. Hjärtat slog och han andades men för övrigt visade han inte några livstecken. Han hade dragit sig tillbaka till en värld dit hon inte kunde nå.

På den sjunde dagens morgon knackade en ung man på dörren. Han hade Mi Mi på ryggen. Su Kyi kände igen henne från marknaden och visste att Tin Win hade tillbringat eftermiddagarna och veckosluten i hennes sällskap.

"Är Tin Win hemma?" frågade Mi Mi.

"Han är sjuk", sa Su Kyi.

"Vad är det för fel på honom?"

"Jag vet inte. Han talar inte, han äter inte. Det går inte att få kontakt med honom."

"Får jag träffa honom?"

Su Kyi visade dem vägen genom köket och in i sovrummet. Där låg Tin Win orörlig med insjunkna kinder och vass näsa och den bruna hyn var matt och livlös. Teet och riset var orört. Mi Mi gled ner från broderns rygg och kröp fram till Tin Win. Su Kyi kunde inte slita blicken från henne. Flickan rörde sig med stor grace.

Su Kyi hade aldrig sett maken. Det var som om flickans missformade fötter hade gjort henne starkt medveten om sina rörelser och om sina armar och ben.

Mi Mi lät Tin Win vila huvudet i hennes knä och lade händerna om hans kinder. Hon lutade sig över honom och hans ansikte doldes bakom hennes långa svarta hår. Hon viskade i hans öra. Brodern vände på klacken och gick därifrån. Su Kyi följde honom i hälarna. Hon lagade te till gästerna, rotade fram lite rostade melon- och solrosfrön ur en burk och gick sedan ut i trädgården och satte sig i skuggan av avokadoträdet. Hon kastade en blick över gården på veden som var prydligt staplad mot husväggen, trädstubben där hon då och då slaktade en kyckling, köksträdgården och den långsamt söndervittrande bänken som Tin Wins far måste ha byggt. Deras sex kycklingar sprang runt och pickade på marken. Hon kände igen sorgen som växte sig allt större inombords. Su Kyi var väl förtrogen med detta stämningsläge. Hon avskydde det och kämpade alltid hårt för att hålla det ifrån sig och oftast gick det bra. Men nu kände hon att sorgen ökade i tyngd och styrka. Hon fann ingen anledning till att hon skulle känna sig sorgsen. Nedstämdhet utan orsak betraktade hon som självömkan och inget annat och den känslan hade hon motarbetat livet igenom. Var det Tin Wins gåtfulla sjukdom som oroade henne? Eller var det rädslan att förlora honom? Eller insikten, som med långa intervall dök upp till ytan, om att hon var väldigt ensam, bortkommen och isolerad. Det var Tin Win också. Och hennes syster. Ja, alla i själva verket. En del märkte det och andra inte.

Då hörde hon sången. Den ljöd inifrån huset men så

svagt att man hade kunnat tro att den kom från andra sidan dalen. En mild och ljuv flickröst sjöng en melodi som Su Kyi inte kände igen. Hon hörde inte texten, utan bara något enstaka ord. Det som berörde henne var själva melodin och den lidelsefulla tolkningen av den.

Den här sången kan kuva andar och demoner, tänkte Su Kyi. Hon satt som fastnaglad under trädet, som om minsta rörelse skulle kunna förstöra upplevelsen. Mi Mis röst spred sig genom huset och trädgården som en väldoft som trängde in i varenda vrå. Su Kyi tyckte att alla andra ljud – fågelsången, cikadornas gnisslande och grodornas kväkande – långsamt ebbade ut tills det enda som hördes var sången. Den var som en stark drog som öppnade varenda cell och alla sinnen i hennes kropp. Hon tänkte på Tin Win. Hon behövde inte oroa sig mer för honom. Sånger av det här slaget skulle alltid hitta fram till honom även i fjärran belägna gömställen.

Su Kyi satt alldeles stilla under avokadoträdet tills ögonlocken föll ihop.

Hon vaknade av kvällskylan. Hon frös och kände sig förkyld. Rösten sjöng vidare, lika milt och vackert som förut. Su Kyi reste sig och gick in. Ett stearinljus brann i köket och ett annat i sovrummet. Mi Mi satt fortfarande bredvid Tin Win med hans huvud vilande i sitt knä. Hans ansikte såg fylligare ut och hyn var inte längre lika blek. Hennes bror hade gett sig av. Su Kyi frågade om Mi Mi var hungrig eller ville gå och lägga sig. Hon skakade snabbt på huvudet.

Su Kyi åt lite kallt ris och en avokado. Hon var trött och tyckte inte att hon kunde göra särskilt mycket. Hon gick tillbaka till sovrummet, gjorde i ordning en sovmatta åt Mi Mi, gav henne en jacka och en filt och gick sedan och lade sig.

När Su Kyi vaknade morgonen därpå var det tyst. Hon såg sig omkring för att försäkra sig om att hon inte drömde fortfarande. Tin Win och Mi Mi låg och sov bredvid henne. Hon klev upp och noterade utan att förstå varför att hon kände sig kry och lätt till sinnes. Nästan alltför munter, tänkte hon och gick ut i köket. Hon gjorde upp eld och lagade te, tvättade av lite salladslök och några tomater och kokade ris till frukost.

Tin Win och Mi Mi vaknade sent den morgonen. Det var varmt men inte alltför hett och Su Kyi arbetade i köksträdgården när hon fick syn på Tin Win i dörröppningen med Mi Mi på ryggen. Han såg äldre ut eller också var det påfrestningarna och utmattningen som hade satt sina spår. Det verkade som om Mi Mi gav honom instruktioner för han tog en gir runt vedstapeln, en pall och en yxa som om han kunde se alltihop. De slog sig ner på bänken vid köksväggen. Su Kyi slängde ifrån sig räfsan och skyndade fram till dem.

"Är ni hungriga?" frågade hon.

"Ja, rätt så", sa Tin Win. Rösten lät djupare än vanligt, nästan lite främmande. "Och törstiga."

Su Kyi serverade dem ris, curry och te. Tin Win verkade bli starkare och livligare för varje munsbit.

När de hade ätit färdigt sa Tin Win att han tänkte ta en promenad med Mi Mi innan han bar hem henne. Han mådde bra och var inte längre det minsta trött. Su Kyi behövde inte oroa sig. Hans ben skulle bära honom och han skulle komma hem innan det blev mörkt. Det lovade han.

Tin Win och Mi Mi tog den oländiga stigen upp till kullens krön och fortsatte sedan längs bergskammen. Han var helt koncentrerad på att gå och undrade om han någonsin skulle kunna överlämna sig helt i hennes händer igen och om hon fortfarande skulle styra honom elegant förbi alla hinder.

De var tysta ett bra tag och sedan frågade Mi Mi: "Minns du vad som har hänt de senaste dagarna?"

"Nej, nästan ingenting", sa han. "Jag måste ha sovit väldigt mycket. Jag visste inte om jag sov eller var vaken. Jag hörde bara ett enda vinande och ett dovt kuttrande och porlande."

"Vad var det för fel på dig?"

"Jag vet inte. Jag var besatt."

"Av vad då?"

"Av skräck."

"Vad var du rädd för?"

"När jag kom hem till er och ingen var där och grannarna inte visste var du var, trodde jag att jag aldrig skulle få se dig mer. Var var du någonstans?"

"Vi hälsade på några släktingar uppe bland bergen. En moster hade dött och vi blev tvungna att ge oss av före gryningen." Hon tryckte läpparna tätt intill hans öra. "Du behöver inte vara rädd. Du kan inte förlora mig. Jag är en del av dig och du är en del av mig."

Tin Win skulle just svara när hans vänstra fot klev rakt ut i tomma rymden. Hålet i marken var övervuxet med gräs och Mi Mi skulle förmodligen inte ha sett det ens om hon hade varit uppmärksam. Tin Win frös till is mitt i steget och betraktade sig själv i ultrarapid. Han trevade efter fast mark och det kändes som en evighet innan han befann sig där. Han snubblade, tappade balansen och märkte medan han föll att han undertryckte en impuls att skydda ansiktet med händerna och att han i stället höll ett fastare tag om Mi Mi. Han visste inte hur långt ner han skulle falla, när och om han skulle slå i marken, om han skulle landa i gräset eller på en sten eller i en buske som skulle riva sönder hans ansikte. Fallet kändes oändligt och det värsta var ovissheten om vad som väntade. Han vred huvudet åt sidan och drog in hakan mot bröstet. Mi Mi tryckte sig tätt intill honom. De tumlade ner med huvudet först. Tin Win kände att han hamnade ovanpå Mi Mi och att de sedan rullade sidlänges som en timmerstock nedför den gräsbevuxna sluttningen.

Han hade ramlat, men nu hade han landat. Färden slutade i en håla i marken.

Mi Mi låg ovanpå honom. Först nu märkte Tin Win hur hårt de tryckte sig intill varandra. Han ville inte släppa taget om henne. Mi Mis hjärta slog snabbt. Inte nog med att han hörde det – han kände det mot bröstkorgen. Mi Mi kändes helt annorlunda när hon låg ovanpå honom. Hon var lättare än när han bar henne på ryggen och han kände mer än hennes armar runt halsen. Hennes bröst låg tryckt mot hans och magen låg även den mot hans egen. Deras longyis var i oordning och deras bara ben var sammanflätade. Han greps av en främmande känsla, en längtan efter mer. Han ville äga Mi Mi och ge sig åt henne. Han ville bli ett med henne, han ville höra samman med henne. Tin Win vände sig på sidan, överraskad av sin egen lusta.

"Har du gjort dig illa?" frågade hon.

"Nej, inte särskilt. Du då?"

"Nej."

Mi Mi borstade bort jorden ur hans ansikte, torkade honom om pannan och strök bort dammet ur mungiporna. Deras läppar nuddade vid varandra en kort sekund. Tin Win skakade i hela kroppen.

"Kan du gå?" frågade hon. "Jag tror att det blir regn snart."

Tin Win reste sig och lyfte upp Mi Mi på ryggen igen. De gick tvärs över ett fält. En stund senare hörde de en flod som brusade vilt. Den var till brädden full med vatten efter allt regnande de senaste veckorna. Floden hade grävt ut en liten ravin i området. En bit nedströms fanns en bro, men det skulle inte bli lätt att nå den från den plats där de befann sig. Tin Win försökte beräkna hur djupt det var med ledning av dånet från de rasande vattenmassorna under dem. "Hur bred är floden här?" frågade han.

"Två meter, kanske mer."

"Hur ska vi ta oss över till andra stranden?"

Mi Mi såg sig omkring. "Där borta ligger en trädstam över floden." Hon styrde Tin Win förbi ett litet stenblock. Trädstammen var en pinje och den var smalare än Mi Mi hade trott, den var inte tjockare än hennes lår. Barken var avskalad och någon hade huggit av grenarna tätt intill stammen. Mi Mi tvekade.

"Vad är det?" undrade han.

"Det är långt dit ner", sa hon.

"Bara om du tittar. För mig är det ingenting."

Han trevade sig fram till trädstammen och satte ena foten på den. Fotsulan välvde sig runt stammen. Mi Mi försökte styra honom med axlarna, men han skakade på huvudet. "Lita på mina fötter!"

Tin Win hade vänt sig en smula åt sidan med ena foten placerad framför den andra. Han tog inte några riktiga steg utan lät den främre foten glida framåt några centimeter i taget, undersökte trädstammen tills han hade formen klar för sig, förde sedan över kroppstyngden på den andra foten och drog den med sig. Han hörde hur Mi Mis hjärta hamrade. Samtidigt lät det forsande vattnet högt och klart just nu. De befann sig antagligen precis ovanför floden. Den smala trädstammen knakade olycksbådande under deras tyngd.

Tin Win rörde sig långsamt men han vacklade inte till en enda gång. Mi Mi kände sig yr och slöt ögonen. Han hade rätt. Det var enklare på det här viset. Hon måste bara förtränga var hon befann sig.

Tin Win flyttade sig vidare tum för tum tills floden ånyo lät en smula dovare. De hade kommit över på andra sidan. Mi Mi vaggade av och an av lättnad på hans rygg och kysste honom på kinderna och på halsen. Han blev svag i knävecken av all sinnesrörelse, snavade och lyckades bara med svårighet återfå balansen. Efter några steg hörde de ett dovt åskmuller alldeles i närheten. Tin Win blev rädd. Åskväder gjorde honom fortfarande illa till mods.

"Det finns en timmerkoja lite längre ner i dalen", ropade Mi Mi. "Vi kanske hinner dit innan regnet börjar ösa ner. Vi får skynda längs floden."

Tin Win rörde sig så snabbt han kunde. När han förirrade sig alltför nära floden eller för långt ifrån strandsluttningen styrde hon honom genom att dra i hans axel.

Sedan började det regna. Ett varmt och behagligt regn. Dropparna rann över deras ansikten, strilade från deras näsor och sipprade nedför halsen och magen på dem. Mi Mi tryckte sig tätt intill Tin Win och han blev medveten om hur hennes bröst rörde sig mot hans våta rygg.

Timmerkojan var brädfodrad men saknade fönster. Till ytan var den inte större än att högst två tre sovmattor skulle ha fått plats och golvet var täckt med flera lager torkat gräs. Regnet hamrade mot plåttaket likt tusende trummande nävar. Det regnade så kraftigt att Mi Mi knappt kunde se floden trots att den bara låg några meter bort. Ovädret rasade alldeles ovanför dem just nu och Tin Win skalv till vid varje åskknall, men för första gången under ett åskväder kände han sig inte illa till mods. Åskan mullrade så högt att Mi Mi höll för öronen. Tin Win ryckte till men han var inte rädd.

Inne i kojan var det ännu varmare och fuktigare än utomhus. Mi Mi sträckte ut sig på gräset som låg strött över golvet. Tin Win satte sig med benen i kors och hon stödde huvudet mellan hans lår. Han drog händerna genom hennes hår, lät fingrarna löpa över hennes panna, rörde vid ögonbrynen, näsan och läpparna och smekte henne på kinderna och halsen.

Hans fingertoppar gjorde henne alldeles elektrisk. Varje gång som han rörde vid henne fladdrade hennes hjärta allt snabbare. Han böjde sig ner och kysste henne på pannan och näsan. Tungan löpte över hennes hals och öron. Mi Mi kunde knappt fatta att hon kunde njuta så av sin kropp och alla de ställen som Tin Win berörde. Händerna nuddade vid hennes ansikte, tinningarna, näsryggen. De följde konturerna av hennes läppar och smekte ögonlocken och läpparna. Hon öppnade munnen en smula och det var som om han aldrig förr hade rört vid henne.

Tin Win drog ömt ner hennes huvud på golvet och tog sedan av sig skjortan. Mi Mi blundade och andades in och ut med djupa andetag. Han smekte hennes fötter. Med fingrarna undersökte han hennes tår, strök med handen över naglarna och de små benen under den spända huden och över vristerna. Han lät handen glida uppför vaderna till fållen på hennes longyi och sedan tillbaka igen. Det upprepades en gång. Och två gånger till. Mi Mi lyfte på höfterna, drog upp skjortan en bit, tog hans hand och lade den på sin nakna mage. Hans hjärta bultade. Inte snabbt men högt och kraftfullt.

Tin Win märkte att Mi Mi andades snabbare. Han lät fingrarna fladdra över hennes kropp, men nuddade den knappt. Det uppstod en spänning mellan fingertopparna och huden som var mer upphetsande än själva kroppskontakten. Han arbetade sig nedåt bit för bit, allt lägre och lägre under hennes longyi tills han nuddade vid de yttersta stråna på hennes blygdhår. Då ställde han sig på knä bredvid henne.

Hon såg att hans longyi putade ut som ett litet tält runt höfterna och då blev hon chockerad – inte över anblicken av detta, inte över hans fingrar men över sin egen lusta och över att hon andades allt snabbare och att hjärtat slog allt hårdare. Tin Win drog försiktigt tillbaka handen. Hon längtade efter mer och tog ett fast grepp om hans hand, men han lutade huvudet mot hennes bröst och förblev orörlig. Han väntade. Det tog en lång stund innan hennes hjärta slog lugnt igen.

Det ljudet skulle han aldrig ta för givet. Han darrade när han insåg vilken vördnad och respekt som han kände för varje hjärtslag. Där inne befann sig hennes hjärta, bara några centimeter från hans öra. Det kändes som om han kikade genom ett titthål på livets källa.

Kapitel 15

Förhållandet mellan Tin Win och Mi Mi fortsatte på detta vis i nästan fyra år. Efter de första veckorna hade de inte låtit en enda dag gå utan att de träffades. Mi Mi väntade på honom när undervisningen var slut för dagen eller också gick Tin Win till marknadsplatsen efter lektionerna. På helgerna gick han hem till henne det första han gjorde på morgonen. Ni är oskiljaktiga hade hennes mor sagt en gång, halvt på skämt. Oskiljaktiga. Som vanligt hade Mi Mi funderat över ordets betydelse en lång stund. Hon hade vänt och vridit på ordet i tankarna för att se om uttrycket tilltalade henne och om det passade och efter några dagar kom hon fram till att bättre beskrivning av dem fanns inte. De var verkligen oskiljaktiga. Det klack till i hjärtat på henne så fort hon fick syn på honom och när han inte var i närheten kändes det som om en del av henne saknades och som om världen slutade snurra när han var borta. Det kändes i hela kroppen när han var frånvarande. Hon fick huvudvärk och blev tung och klumpig i armar och ben. Det gjorde ont i brösten och i magen. Det var till och med svårt att andas utan honom.

Under deras tredje gemensamma sommar visade Mi Mi honom vägen till några små sjöar där man kunde bada och de blev deras tillflyktsort och favoritställe. De gick alltid till den minsta av de fyra sjöarna. Den låg ett stycke från allfarvägen bakom en liten pinjedunge. Andra ungdomar undvek sjön eftersom den hade rykte om sig att vara full av vattenormar. Mi Mi hade sett två stycken. När hon frågade Tin Win om han var rädd för dem skrattade han och sa att han aldrig hade sett några vattenormar.

Den här dagen iakttog Mi Mi honom noga. Vinden ökade. Vattenytan krusades och hon hörde att små vågor skvalpade mot stenarna vid hennes fötter. Hon låg hopkrupen på stranden vid den lilla sjön med ögonen på Tin Win. Han var ingen dålig simmare. Han hade skapat en alldeles egen stil, för han låg på sidan i vattnet med ena handen framför kroppen så att han skulle kunna känna om det fanns några hinder i vägen. Tin Win var försiktig och föredrog att hålla sig nära stranden där han fortfarande bottnade. Men han var uthållig och var duktig på att dyka.

Mi Mi älskade vatten. Redan som liten flicka hade hon följt med sina bröder till de fyra små sjöarna som låg en timmes vandring från Kalaw. De hade turats om med att bära henne och hade snabbt lärt henne att simma. De här utflykterna mindes Mi Mi med djupaste glädje. I vattnet kunde hon tävla med bröderna och leka med de andra barnen. I vattnet spelade det inte någon roll hur hennes fötter var beskaffade.

Tin Win hade simmat till sjöns mitt där en sten, som var stor nog att sitta på, reste sig ur vattnet. Han klättrade upp på den och lät vinden och solen torka honom torr. Mi Mi kom på sig med att längta efter honom. Ensamhetskänslan och bedrövelsen gick inte över förrän hon åter satt på hans rygg och lade händerna om hans hals och kände hans axlar röra sig. Ingenstans kände hon sig så trygg och lycklig som där.

Mi Mi kunde inte låta bli att tänka på den där eftermiddagen då ovädret rasade rakt ovanför dem och de hade tagit sin tillflykt till timmerkojan. Då hade Tin Win rört vid henne för första gången och den smekningen hade väckt en åtrå inom henne som var starkare än allt annat hon hade känt och upplevt. Hon undrade om allt som hon kände vid dessa tillfällen hade legat slumrande inombords. Hade Tin Win bara väckt dessa känslor till liv? Eller hade de kommit någon annanstans ifrån? Förhäxade han henne? Vad var det som han hade väckt genom sina kyssar och när hans läppar nuddade vid hennes hud? Så fort hans fingrar strök över hennes hals, bröst, mage och lår kändes det som om han upptäckte hennes kropp åt henne för allra första gången. Tin Win reagerade likadant på hennes händer och läppar. Hon kunde väcka hans kropp och smeka honom tills han vred sig av och an i ohämmad lusta. Vid sådana tillfällen kände hon sig så full av liv att hon inte visste var hon skulle göra av all glädje. Det var som om hon flöt på vindpustarna och hon var lika lätt och viktlös som andra bara var i vattnet. Hon insåg att hon hade en förmåga som hon aldrig hade vetat om. En talang som endast Tin Win kunde väcka till liv.

Han hade lärt henne att lita på andra, han hade gett henne möjlighet att få vara svag. När hon var tillsammans med honom behövde hon inte bevisa någonting. Tin Win var den förste – och den ende – som hon kunde anförtro att hon tyckte att det kändes förnedrande att krypa på alla fyra och att hon ibland drömde om att kunna gå runt i Kalaw på två felfria fötter och hoppa högt upp i luften. Bara för att det var roligt och för att hon klarade av det. Vid sådana tillfällen gjorde inte Tin Win några försök att trösta Mi Mi. Han tog henne i famnen utan att säga någonting. Hon visste med sig att han förstod hur hon kände det och vad hon menade. Ju oftare hon talade om sin längtan att kunna gå på sina fötter desto mindre plågade det henne. Hon trodde på Tin Win när han försäkrade henne att ingen i hela världen hade en så vacker figur som hon.

I hans sällskap vågade hon göra vad som helst.

Mi Mi kastade en blick på Tin Win. Trots att han satt bara femton meter längre bort stod hon inte ut med avståndet emellan dem. Hon tog av sig skjortan och sin longyi, gled ner i vattnet och tog några energiska simtag. Solen hade värmt upp den lilla sjön men vattnet var fortfarande så pass svalt att det kändes uppfriskande. De skulle få plats på stenen bägge två om hon satte sig mellan hans ben och lutade sig mot honom. Hon simmade fram till Tin Win. Han sträckte ut handen och hjälpte henne upp ur vattnet. Hon lutade sig mot honom. Han lade armarna runt hennes midja och drog henne tätt intill sig.

"Jag stod inte ut med att vara ifrån dig", viskade hon.

"Jag har suttit här hela tiden."

"Jag ville känna dig intill mig. Jag blev ledsen."

"Varför det?"

"För att du var så långt borta och för att jag inte kunde röra vid dig", sa hon och häpnade över sina egna ord. "Varje timme som vi är skilda åt gör mig nedstämd. Jag sörjer över alla ställen dit jag går utan dig och varje steg som du tar utan att ha mig på ryggen. Mitt hjärta blöder de nätter när vi inte somnar i varandras armar och de morgnar när vi inte vaknar sida vid sida."

Mi Mi vände sig om och ställde sig på knä framför Tin Win. Hon lade händerna runt hans huvud och han kände hur tårarna rann nedför hennes kinder. Hon kysste honom på pannan och ögonen. Hon kysste honom på munnen och på halsen. Hennes läppar var mjuka och fuktiga. Hon överöste honom med kyssar. Han drog henne intill sig och hon lade benen runt hans höfter. Han höll henne hårt. Annars skulle hon kanske flyga därifrån.

Kapitel 16

Hjärtslagen påminde honom om det stadiga droppandet när det ösregnade. På sistone hade pauserna mellan slagen blivit allt längre. Det lät som en källa som höll på att sina.

Redan för flera veckor sedan hade Tin Win hört vad som var på gång. I hans öron hade U Mays hjärtslag alltid låtit trötta och matta, men den senaste tiden hade slagen varit svagare än vanligt. Under de gångna två veckorna hade en ung munk på egen hand undervisat U Mays elever medan U May låg till sängs, alltför svag för att kunna stå på benen. Trots den tropiska hettan åt han ingenting och han drack ytterst lite.

De senaste dygnen hade Tin Win och Mi Mi suttit vid hans sjukbädd. Tin Win hade läst för honom tills det värkte i fingertopparna. Mi Mi erbjöd sig att sjunga för U May men han tackade nej. Han förklarade att han visste att hennes röst ägde magisk kraft och han ville inte förlänga livet med konstlade medel. Han log en smula.

Mi Mi och Tin Win hade unnat sig en paus och satt nu på ett tehus vid huvudgatan och drack nygjord sockerrörssaft. Det var varmt. Under de senaste två veckorna hade Kalaw plågats av en värmebölja som inte visade några tecken på att avta. Luften stod alldeles stilla. De sa inte ett ord till varandra. Till och med flugorna led av värmen, tänkte Tin Win. Surrandet lät slöare och håglösare än vanligt. Bredvid dem satt köpmän och gatuförsäljare. Allihop klagade oupphörligt över vädret. Tin Win tyckte att det kändes obegripligt att U May låg på dödsbädden knappt tvåhundra meter därifrån medan människorna här omkring bara drack te, gjorde affärer och ägnade sig åt triviala samtalsämnen som vädret.

Han kände genast igen munken som närmade sig på grund av hans linkande gång. Det var Zhav, vars vänsterben var en aning kortare än högerbenet. Därför haltade han, men inte så det syntes. Ingen förutom Tin Win hade lagt märke till det. Zhav kom med dåliga nyheter. Hans hjärta lät nästan lika förtvivlat som hos den sårade kalv som Mi Mi hade hittat för ett tag sedan och som hade dött i hennes armar.

"U May har blivit medvetslös", flämtade Zhav andlöst.

Tin Win reste sig och ställde sig sedan på knä framför Mi Mi. Hon klättrade upp på hans rygg och så satte de av tillsammans. Han sprang huvudgatan fram och Mi Mi styrde honom förbi kärror och gångtrafikanter. De svängde in på vägen som ledde till klostret, skyndade över gårdsplanen och fortsatte uppför trapporna.

Alla munkarna och många stadsbor hade samlats runt U May. De satt på golvet och fyllde halva vestibulen som ändå var så stor. När de fick syn på Tin Win och Mi Mi drog de sig undan så att en smal gång bildades i folkmassan fram till U Mays sjukläger. Mi Mi fick en chock när hon såg på honom. Under den senaste timmen hade hans ansikte blivit ännu mer insjunket. Ögonen låg nu så djupt att de verkade vara på väg att försvinna in i huvudet. Näsan var vass och läpparna syntes knappt. Huden stramade över käkbenen. Den var torr och livlös som läder. Händerna var knäppta på magen.

De knäböjde vid sängen, Mi Mi bakom Tin Win med armarna runt hans bröstkorg.

Tin Win förstod att det inte var långt kvar. U Mays hjärta slog inte mycket högre än en fjäril som fladdrar med vingarna. Han hade fruktat detta ögonblick. Sedan en tid tillbaka hade han insett att han inte kunde föreställa sig ett liv utan U May. Utan hans röst. Utan hans goda råd. Utan hans uppmuntrande ord. U May var den förste som han hade öppnat sig för. Och U May hade försökt befria honom från rädslan. Under de första åren efter det att de hade blivit vänner hade U May ofta påpekat för Tin Win att allas liv innehöll ett frö av döden. Döden var precis som födelsen en del av livet och den kunde ingen undfly. Det tjänade ingenting till att kämpa emot. Det var mycket bättre att acceptera döden och se den som något naturligt än att frukta den.

Tin Win insåg det logiska i argumentationen, men den hade aldrig övertygat honom till fullo. Rädslan fanns kvar. Han var rädd för att U May skulle dö men han var också rädd för att själv dö. Det var inte så att han klamrade sig fast vid livet eller ansåg att just hans liv var särskilt värdefullt. Men rädslan hade funnits där och ibland hade den gränsat till panik. Den ägde vissa djuriska drag och det fick honom att tänka på griskultingen som han hade sett sin far slakta. Det var en syn som han aldrig skulle glömma. De uppspärrade ögonen. De hårresande skriken, den desperata kampen, ryckningarna i hela kroppen. Tin Win hade så småningom kommit fram till att dödsrädslan antagligen var en överlevnadsinstinkt. Den var en väsentlig del inte bara av oss människor utan av alla levande varelser. Men vi måste ändå komma över dödsrädslan för att lugnt och fridfullt kunna ta avsked av livet. Tin Win tyckte att det var en oförklarlig motsägelse. Han hade inte kontemplerat över döden en enda gång under de senaste två åren, men nu när han på grund av att U May låg för döden tvingades till detta upptäckte han att han kände sig oväntat rofylld. Nu när han äntligen hade något att förlora var han inte rädd längre. Han skulle så innerligt gärna ha velat be U May om en förklaring till detta, men det var för sent. Plötsligt rörde U May på läpparna.

"Tin Win och Mi Mi, är ni här?" Han talade inte utan andades ut orden.

"Ja", sa Tin Win.

"Minns ni hur jag ville dö?"

"Befriad från all rädsla och med ett leende på läpparna", sa Tin Win.

"Jag är inte rädd", viskade U May. "Mi Mi kommer att berätta för dig om jag även lyckas le." Tin Win tog U May i handen och bad honom att inte tala mer. "Du måste spara dina krafter."

"Till vad?"

Det verkade bli hans sista ord. Tin Win hoppades att U May skulle säga någonting mer. Livet borde inte sluta med en fråga. Till vad?

Det lät som om all strävan vore fåfänglig. Det lät som

tvivel. Det lät som om livet vore ofullbordat. Tin Win räknade sekunderna mellan hjärtslagen. Det kom flera andetag mellan varje.

U May öppnade munnen igen. Tin Win lutade sig fram.

Sedan blev det tyst. Tin Win väntade. Det var tyst. En gränslös tystnad som slukade allting och dränkte vartenda ljud.

Han hörde att Mi Mis hjärta och sedan hans eget så småningom började slå i samma takt. De anpassade sig till varandra hjärtslag för hjärtslag, och under några snabbt förbiilande ögonblick – som Tin Win upplevde som en evighet – hörde han hur deras hjärtan slog i samma rytm, som om de tu vore ett.

Kapitel 17

Yadana hade upplevt några avgörande händelser i livet som hon skulle minnas ända till sin död. En av dem var när hon såg Tin Win för första gången. Hon hade suttit hemma på verandan och skulle just börja fläta en korg av torkat gräs. Det var sent på eftermiddagen och hon kände redan lukten från grannarnas eld och hörde dem skramla med kastruller och plåtmuggar. Hon var ensam i huset. Moe och sönerna var fortfarande ute på åkern. Plötsligt stod Tin Win på gården med Mi Mi på ryggen. Inte ens nu skulle hon ha kunnat avgöra vad det var som gjorde henne så rörd. Det var Tin Wins strålande unga ansikte. Det var hans skratt när Mi Mi viskade någonting i hans öra. Det var hans sätt att försiktigt kliva uppför verandatrappan och treva sig fram från det ena trappsteget till nästa för att sedan huka sig ner och låta Mi Mi sakta glida ner från ryggen. Det var helt enkelt det nya skimret över dotterns ansikte, hennes ögon lyste som nattens stjärnor.

Därefter bar Tin Win hem Mi Mi kväll efter kväll. I början var han påfallande reserverad. Han satte ner Mi Mi och strax därpå tog han adjö av dem. Men efter några veckor hjälpte han Mi Mi i köket och stannade kvar och åt kvällsmat.

Yadana började kalla Tin Win för sin yngste son. Ju mer hon lärde känna honom, desto mer tyckte hon om honom för hans taktfullhet, omtanke och den ömhet som han visade Mi Mi men även för hans humor, blygsamhet och intuition. Det verkade ofta som om han förstod hur Yadana och hennes familj hade det redan innan de hade växlat ett enda ord. Yadana tyckte inte att det verkade som om Tin Win var särskilt nedstämd över att ha förlorat synen, särskilt inte när han hade Mi Mi på ryggen. När hon såg dem vandra uppför bergsslutt-ningen blev hon ibland rörd till tårar. Trots bördan gick Tin Win rak i ryggen. Han kånkade inte omkring med Mi Mi utan bar henne stolt och glad som om hon vore en gåva. Hon satt på hans rygg och sjöng eller viskade i hans öra. Det hände ofta att Yadana kände igen dem på skratten långt innan hon fick syn på dem.

Efter några månader började Moe kalla dem för bror och syster och fyra år senare kallade han dem fortfarande för det. Var han bara vårdslös i sitt ordval eller märkte han inte vad som pågick mitt framför näsan på honom? Ju längre Yadana tänkte på det, desto mer misstänkte hon att Moe menade vad han sa och att han precis som många andra män tydligen saknade en viss intuition som skulle ha hjälpt honom att se vad som hände under ytan.

Vid det här laget hade Tin Win och Mi Mi uppenbarli-gen varit mer än bror och syster ett bra tag. Mi Mis strå-lande glädje präglades inte alls av barnslighet. Tin Win var fortfarande mycket tystlåten, artig och respektfull, men i rösten, gesterna och rörelserna avspeglades mer än omtanke och ömhet. Dessa unga människor kunde glädjas åt en värme och förtrolighet som Yadana faktiskt blev en smula avundsjuk på. Hon hade aldrig upplevt någonting liknande tillsammans med sin man och sanningen att säga kände hon inte till några andra par som stod varandra så nära som Tin Win och Mi Mi.

Nu var båda fyllda arton år och Yadana funderade på om det var dags att börja prata om giftermål. Men eftersom Tin Win tydligen var föräldralös visste hon inte vem hon skulle vända sig till. Hon borde kanske helt enkelt vänta tills Tin Win eller Mi Mi frågade henne. Vad spelade några månader eller till och med ett år för roll? Hon var säker på att hon inte behövde oroa sig för dottern eller Tin Win. De hade upptäckt en av livets hemligheter som hon inte hade fått ta del av även om hon alltid hade anat dess existens.

Kapitel 18

En sommarkväll kom Tin Win hem i skymningen efter att ha tillbringat eftermiddagen vid sjön tillsammans med Mi Mi. Simturen och den långa fotvandringen hade gjort honom angenämt trött. Kvällen var mild efter en het dag. Luften var torr och behagligt varm. Grodorna i dammen intill kväkte så högt att alla andra ljud försvann. Vid det här laget hade Su Kyi säkert kvällsmaten klar åt honom. När han öppnade trädgårdsgrinden lade han märke till två okända röster – det var två män som talade med Su Kyi. De satt vid elden utanför huset. Han hörde att Su Kyi reste sig och kom fram till honom. Hon tog honom i handen och ledde fram honom till främlingarna. Männen gick rakt på sak. De hade väntat på Tin Win hela eftermiddagen. Su Kyi hade tagit väl emot dem och bjudit på te och nötter. Nu var de trötta efter sin långa resa och såg fram mot att få komma till sitt hotell, med tanke på att de dagen därpå skulle fortsätta sin strapatsrika resa. De hade kommit från Rangoon. Hans onkel, den vördade U Saw, hade gett dem i uppdrag att så snabbt som möjligt föra Tin Win till huvudstaden. Han skulle få veta alla vidare detaljer från onkeln personligen. Morgonen därpå skulle de ta ett tidigt tåg till Thazi och väl där skulle de några timmar senare gå ombord på nattåget från Mandalay och komma fram till Rangoon nästa morgon. Biljetterna var redan inhandlade och platserna reserverade. Första tåget gick klockan sju från Kalaw. De skulle komma och hämta honom. Ville han vara vänlig och vänta på dem klockan sex och då vara redo för avfärd?

Till en början begrep inte Tin Win vad de sa. Som alltid när han mötte främlingar hade han först lyssnat till deras hjärtan och röster i stället för till orden. Hjärtslagen hade inte avslöjat särskilt mycket. Rösterna lät märkligt uttryckslösa. Vad de än gjorde i Kalaw och vad de än berättade för honom just nu så var det betydelselöst för dem.

Men Su Kyis djupa suck fick honom att skärpa uppmärksamheten och bli på sin vakt. Och hennes hjärta slog snabbare än situationen krävde, det var som om hon just hade klättrat uppför ett berg. Men med Mi Mis hjälp hade Tin Win lärt sig att det inte bara var fysisk ansträngning som kunde få hjärtat att banka på det där viset. Människor kunde sitta stilla på marken, till synes lugna och rofyllda, medan hjärtat rusade i bröstet som ett djur som sprang för livet. Han visste genom personlig erfarenhet att människor ofta kände sig mer skrämda och oroade av drömmar och fantasier än av verkligheten och att tankarna kunde fresta på hjärtat mycket mer än det hårdaste arbete.

Vad var Su Kyi så bekymrad över? Nu hade männen gett sig av och då upprepade hon mening för mening vad de hade sagt. Långsamt sjönk orden in. Med tåg.

Till huvudstaden. Ensam.

"Varför det? Vad kan min onkel vilja mig?" frågade Tin Win när han äntligen förstod det hela.

"Jag vet inte", sa hon. "Människorna här i staden säger att han är mycket förmögen och att han har inflytelserika vänner bland engelsmännen. Det påstås att han rentav känner guvernören. Jag är säker på att han kan hjälpa dig."

"Jag behöver inte någon hjälp." Tin Win hånskrattade vid blotta tanken på att någon av medlidande skulle bistå honom.

"Din onkel har kanske hört talas om att du har blivit blind och vill nu att en engelsk doktor ska undersöka dig. Hur som helst måste vi bestämma vad du ska ta med dig i morgon." Hon vände sig om för att gå in.

"Su Kyi!" Hennes hjärtslag var i otakt med orden som hon försökte trösta honom med. "Vad tycker du egentligen?"

"Å, Tin Win, jag kommer att sakna dig så mycket. Men vad är det jag säger, själviska gamla kärring! Jag borde vara glad för din skull."

"Su Kyi!" Han lät förebrående på rösten. Han hörde ju tydligt att hon dolde vad hon egentligen tyckte.

"För övrigt kommer du bara att vara bortrest några veckor på sin höjd", fortsatte hon som om hon inte hade hört honom.

Tin Win baxnade. Hittills hade den här färden bara varit någonting abstrakt. Han hade aldrig varit på resa och hade ingen aning om vad det innebar. Han måste lämna Kalaw. Han skulle komma till ett nytt och därmed skrämmande ställe och han visste inte vad som väntade där. Han måste klara sig utan Su Kyi, utan klostret och munkarna, utan sitt hem, utan alla välkända dofter och ljud. Utan Mi Mi.

Tanken var så befängd att han inte förrän i det ögonblicket förstod vad som var på gång. Det var meningen att han skulle ge sig av om några timmar utan att ens veta när han skulle kunna resa hem igen. Om några veckor? Ett par månader? Någonsin alls? Han kände hur vålnaderna och demonerna vaknade till liv i hans bröst.

Tin Win gick den oländiga stigen över bergskammen. Han kände till varenda sten och varenda hålighet längs vägen. Han gick allt snabbare och sedan började han springa. Försiktigt till en början men sedan tog han större och större kliv och till slut stormade han fram i full fart. En inre kraft drev honom framåt, en kraft som inte hade en tanke på att han kunde ramla. Han rusade förbi dammen och vek av vid bambudungen. Han ilade ner till ängen och uppför slänten på andra sidan. Han sprang utan att snava och kände knappt marken under fötterna. Var det minnet, instinkten eller pur längtan som ledde honom så tryggt och säkert till Mi Mis hus?

De sista meterna saktade han farten och hämtade andan ett tag bakom hibiskushäcken som skyddade huset från vägen. Han gick in på gården. Hunden sprang fram och hoppade upp på honom. Tin Win klappade den lugnande. Grisen snarkade under verandan. Det var tyst i huset. Han gick långsamt uppför trappan. Dörren var olåst. Den gnisslade när han öppnade den. Han hörde på Mi Mis hjärtslag var hon låg och sov och han trevade sig försiktigt fram genom rummet till hennes matta. Det var nära att han snavade över en plåtburk som stod mitt på golvet. Han knäböjde bredvid henne och lade handen mot hennes kind.

Hon vaknade med ett ryck. "Vad gör du här, Tin Win?"

"Jag måste berätta något för dig", viskade han. Tin Win lade ena armen under hennes nacke och den andra under hennes knän och lyfte sedan upp henne. Deras ansikten nuddade nästan vid varandra. Han hade aldrig tidigare burit henne i sin famn. Han gick med henne bort till trappan, nedför alla trappsteg och tvärs över gårdsplanen.

"Du svettas", sa hon och smekte honom över ansiktet och halsen.

"Jag sprang hela vägen hit. Jag måste få träffa dig."

"Vart ska vi gå?"

"Jag vet inte. Någonstans där vi kan vara ensamma utan att väcka de andra."

Mi Mi funderade en stund. Bakom några hus bredde åkrarna ut sig och på en av dem fanns en koja som fungerade som regnskydd. Hon visade Tin Win dit och några minuter senare kom de fram till den lilla kojan och kröp in i den. Väggarna var gjorda av flätat gräs och Mi Mi kunde se himlen genom hålen i taket. Natten var klar och himlen full av stjärnor och det var ovanligt varmt i luften. Mi Mi kände hur hjärtat slog snabbt och förväntansfullt. Hon tog Tin Wins hand och lade den på magen.

"Jag ska åka till Rangoon i morgon bitti. Min onkel som bor där har skickat hit två män som ska ta med mig dit."

Flera decennier senare ringde de orden fortfarande i Mi Mis öron. Bara några timmar tidigare när de var vid sjön hade hon drömt om framtiden och om bröllop. Hon hade fantiserat om att hon och Tin Win bodde i ett hus och att deras barn lekte på gården, barn som kunde gå och se. Hon hade legat i hans armar och hade beskrivit scenen för honom. De hade bestämt sig för att diskutera bröllopet med hennes föräldrar under de närmaste veckorna. Men nu skulle han resa till huvudstaden. Mi Mi visste vad det innebar. Rangoon låg vid världens ände. Det var inte många som for dit och ännu färre som kom tillbaka. Hon ville fråga Tin Win vad hans onkel ville honom och hur länge han skulle vara bortrest och varför de måste skiljas åt, men samtidigt kände hon att orden inte kunde hjälpa henne, inte nu när hon med hela sin kropp längtade efter honom.

Hon tog honom i handen och drog ner honom till sig. Deras läppar möttes i en kyss. Hon drog skjortan över huvudet och han kysste hennes bröst. Hon kände hans varma andedräkt mot sin hud. Hans mun dansade nedför hennes kropp. Han löste upp hennes longyi. Nu var båda nakna. Han kysste hennes ben och lår. Han retade henne med tungan. Nu kände hon honom som aldrig tidigare. Och hon kände sig själv. Allt djupare och vackrare än någonsin. Han gav henne en ny kropp för varje rörelse. Hon föreställde sig att hon flög över Kalaw, över skogarna och bergen och dalarna, från den ena bergstoppen till den andra. Jorden förvandlades till ett litet klot där Rangoon och Kalaw och alla andra städer och länder låg bara en fingerbredd från varandra. Hon förlorade all kontroll över kroppen. Det var som om alla hennes känslor plötsligt hade exploderat. Vreden, skräcken, tvivlet, ömheten, begäret och all längtan. Under ett kort förbiilande ögonblick, under loppet av några få hjärtslag, var all världens löften uppfyllda och inga hinder låg i hennes väg.

Kapitel 19

Det var inte mycket att packa. Tin Win ägde inte så mycket annat än lite underkläder, tre longyis, fyra skjortor och en pullover och han skulle inte behöva ta med sig alla dessa plagg. Vädret var hett och fuktigt året om i huvudstaden. Su Kyi lade ner kläderna i en gammal tygväska som hon hade hittat en gång för länge sedan utanför en av de brittiska klubbarna. Hon hade lagat ris och hans älsklingscurry med torkad fisk som han skulle ha som färdkost. Hon skedade ner maten i en burk, satte på ett tättsittande lock och stoppade in den bland hans longyis. I botten lade hon tigerbenet som Tin Wins far hade ägt, samt snigelskalet och fågelfjädern som Mi Mi hade gett honom några månader tidigare. Su Kyi tittade ut genom fönstret. Klockan måste vara halv sex ungefär. Det var fortfarande mörkt, men fåglarna hade redan börjat sjunga och det skulle snart dagas. Tin Win hade kommit hem för bara fem minuter sedan. Han satt i köket.

För första gången på länge var Su Kyi orolig för Tin Win. Sedan han och Mi Mi hade blivit goda vänner hade han förändrats på ett nästan osannolikt vis. Han hade upptäckt livet och när de åt tillsammans om morgnarna fick hon ofta en känsla av att hon satt bredvid ett litet barn, för han bubblade nästan över av glädje och energi. Det var som om han ville ta igen alla förlorade år. Su Kyi kunde inte förstå hur han skulle hitta vägen i en främmande omgivning utan Mi Mis hjälp. Aldrig tidigare hade hon sett två människor leva i en sådan symbios som Tin Win och Mi Mi och det fanns stunder när blotta anblicken av dem fick henne att undra om vi människor kanske inte var ensamma när allt kom omkring och om det i vissa fall var så att den minsta mänskliga enheten bestod av ett par och inte av en enskild individ. Tin Wins onkel hade kanske brorsonens bästa för ögonen. Läkarna i huvudstaden skulle kanske kunna bota honom. Han skulle kanske komma hem igen om några månader.

Su Kyi gick ut ur huset och såg noga på Tin Win. Hon hade sett människor dö och hon hade sett sörjande som hade förlorat sina närmaste, men hon kunde inte påminna sig att hon någonsin hade sett ett ansikte så fördunklat av smärta. Hon tog honom under armen och då började han hejdlöst gråta. Han grät ända tills de bägge männen klev in genom trädgårdsgrinden. Hon torkade hans tårar och frågade om hon fick följa dem till tåget. Den ene nickade bifall och den andre tog hand om väskan.

Ingen av dem sa ett enda ord på hela vägen. Su Kyi tog Tin Win i handen. Han darrade och rörde sig klumpigt och försiktigt. Han trevade sig ängsligt fram och snubblade mer än vanligt och gick som om han helt nyligen hade blivit blind. Su Kyis steg blev allt tyngre. Hon gick som i trans och noterade bara fragmentariskt vad som hände runt omkring. Hon hörde väsandet från loket som redan stod och väntade på stationen. Hon såg vita moln stiga ur ett svart torn. Det vimlade av människor på perrongen och de ropade och larmade i öronen på henne. Ett barn skrek. En kvinna föll omkull. Tomater rullade ner på spåret. Tin Wins hand gled ur hennes grepp. Männen ledde bort honom. Han försvann bakom en dörr.

Den sista anblicken av Tin Win förvandlades på grund av hennes flödande tårar till ett dis. Han satt vid ett öppet fönster med huvudet begravt i händerna. Su Kyi ropade på honom, men han reagerade inte. Det hördes en gäll signal från en vissla och sedan började tåget röra sig. Hon gick några steg i jämnhöjd med tågfönstret. Tåget fick upp farten. Väsningarna från loket blev allt högre och starkare. Hon började springa, men snubblade, stötte ihop med en karl och hoppade över en fruktkorg. Sedan tog perrongen slut. Två baklyktor lyste som tigerögon i mörkret. De försvann långsamt bakom en svag kurva. När Su Kyi vände sig om var perrongen tom.

Kapitel 20

U Ba hade talat i flera timmar utan paus. Munnen
hängde halvöppen. Ögonen såg rakt genom mig. Brö-
stet hävdes men för övrigt satt han blickstilla. Jag hörde
binas surrande och mina egna andetag. Jag höll ett fast
grepp om stolskarmarna. Det var bara i flygplan som
jag brukade sitta lika spänd och vid sådana tillfällen
endast när det blev turbulens eller planet gick in för
landning. Jag släppte långsamt taget och sjönk bakåt
mot de mjuka kuddarna.

Vi satt tysta men huset fylldes sakta av störande
ljud. Det knakade i trävirket. Någonting prasslade vid
mina fötter. Det hördes ett kuttrande under takfoten.
Någonstans stod fönsterluckorna och skallrade i blås-
ten. Kökskranen droppade – eller inbillade jag mig att
jag hörde U Bas hjärta slå?

Jag försökte se pappa för min inre syn. Ensamhe-
ten som hade präglat hans tillvaro, förlusten av synen,
mörkret som hade omgett honom tills han träffade Mi
Mi. Hur hade det känts att riskera att förlora allt det
som hon hade gett honom? Jag fick tårar i ögonen, för-
sökte hålla dem tillbaka – men det gjorde allting värre.

Så jag lät tårarna flöda och jag grät som om det hade varit jag som hade följt honom till Rangoontåget. U Ba reste sig och gick fram till mig och lade handen på min hjässa. Men jag var otröstlig. Det här var nog första gången som jag grät över min far. Vissa dagar efter hans försvinnande hade jag saknat honom alldeles förskräckligt mycket. Jag var nedslagen och missmodig och jag antar att jag grät. Men jag minns det inte med säkerhet. För vem var tårarna ämnade? För pappa? Eller för mig eftersom jag hade förlorat min far? Eller handlade det om tårar av vrede och besvikelse för att han hade lämnat oss och gett sig av?

Pappa hade aldrig berättat någonting för oss om sina första tjugo år i livet och därför hade vi aldrig fått någon möjlighet att sörja med eller över honom. Men skulle jag ha velat höra det? Var jag i stånd att känna empati för honom? Vill barn verkligen lära känna sina föräldrar som självständiga individer? Kan vi se dem som de var innan vi kom till världen?

Jag tog fram en näsduk ur ryggsäcken och torkade mig i ansiktet.

"Är du hungrig?" frågade U Ba.

Jag skakade på huvudet.

"Törstig?"

"Lite grann."

Han försvann ut i köket och kom tillbaka med en kopp kallt te. Det smakade ingefära och lime och gjorde mig lugn.

"Är du trött? Ska jag följa dig tillbaka till hotellet?"

Jag kände mig helt utmattad, men jag ville inte vara ensam. Blotta tanken på hotellrummet gjorde mig illa till mods. I tankarna antog rummet enorma proportioner och såg större ut än den tomma matsalen och sängen verkade bredare än gräsmattan utanför hotellet. Jag såg mig själv ligga där på sängen, ensam och övergiven. "Jag skulle vilja vila mig ett tag. Skulle du ta illa upp om jag … om jag bara några minuter …?"

U Ba avbröt mig. "Inte alls, Julia. Lägg dig på soffan så hämtar jag en filt."

Jag var så trött att jag knappt orkade ta mig upp ur fåtöljen. Soffan var bekvämare än den såg ut. Jag kurade ihop mig på dynorna och var bara vagt medveten om att U Ba lade en tunn filt över mig. Jag halvslumrade. Jag hörde bina. Deras entoniga surrande var sövande. U Ba gick genom rummet. Några hundar skällde. En tupp gol. Ett par grisar grymtade. Saliven rann ur ena mungipan på mig.

När jag vaknade var det mörkt och tyst. Det tog en liten stund innan jag förstod var jag befann mig. Det var svalt i rummet. U Ba hade svept en tjockare filt om mig och hade stuckit in en kudde under mitt huvud. På bordet framför mig stod ett glas te, några kakor på ett fat och en vas nyplockade jasminer. Jag hörde att en tung gammal trädörr slogs i lås, vände mig på sidan, drog upp knäna tätt intill kroppen och filtarna till hakan och somnade om.

Kapitel 21

När jag slog upp ögonen hade det blivit ljust. Framför mig ringlade het ånga upp ur ett glas vatten. Bredvid det fanns en förpackning snabbkaffe, en sockerbit, kondenserad mjölk och färska småbröd. Solskenet lyste in genom det ena fönstret och från soffan såg jag en bit av himlen. Den blå färgen var mörkare och intensivare än den nyans som jag hade sett i New York. Det luktade morgon och plötsligt kom jag att tänka på sommarsöndagarna i Hamptons då jag brukade ligga vaken i sängen i gryningen, en liten flicka som lyssnade till havets brus genom de öppna fönstren och andades in den svala morgonluften i rummet, luften som trots sin kyla förebådade en varm dag.

Jag reste mig upp och sträckte på mig. Förvånansvärt nog hade jag inte ont i ryggen, vilket jag brukade ha efter att ha tillbringat natten i en främmande säng. Jag måste ha sovit gott på den där gamla soffan med sin nötta stoppning. Jag gick bort till ena fönstret. En tät bougainvilleahäck växte runt huset. Gårdsplanen var rensopad. Veden var prydligt staplad mellan två träd med en hög tändved bredvid. En hund av obestämd ras spankulerade omkring och en gris vältrade sig i en dypöl nedanför fönstret.

Jag gick in i köket. En liten vedspis stod i en vrå och på den stod en kastrull. Röken steg rakt uppåt och försvann genom ett hål i taket. Det sved fortfarande i ögonen. Vid väggen stod ett öppet skåp med glas, emaljerade skålar och fat och sotiga grytor. På nedersta hyllan låg ägg, tomater, en knippa salladslök, ingefärsrot och limefrukter.

"Julia!" U Bas röst kom från rummet bredvid.

Han satt vid ett bord, omgiven av böcker. Hela rummet var fullt. Det såg ut som ett bibliotek som hade råkat i förfall. Böckerna fyllde hyllorna från golv till tak. De låg i högar på trägolvet och uppstaplade i en fåtölj. De tornade upp sig på ett annat bord. En del av böckerna var tunna som ett finger, andra stora som uppslagsböcker. Det fanns häftade böcker i högarna, men de flesta var inbundna och en del var till och med bundna i skinnband. U Ba satt böjd över en uppslagen bok vars gulnade sidor påminde om hålkort. Bredvid den låg en samling pincetter och saxar och en burk vitt lim. Två oljelampor på bordet gav extra ljus. U Ba såg på mig över kanten på de tjocka glasögonen.

"Vad arbetar du med, U Ba?"

"Jag fördriver bara tiden."

"Med vad då?"

Han tog upp en liten pappersbit med hjälp av en lång tunn pincett, doppade den hastigt i limmet och placerade sedan pappersbiten över ett av de små hålen i boken. Med en penna med tunn spets fyllde han i den övre delen av ett o med svart bläck. Jag försökte läsa dikten där bokstaven ingick.

Med denna kärleks vädjan och denna kallelses
röst
s all vi inte upph ra att f rska
och slu et på all v r forskn
blir at fi na vår utg ngsp nkt
och se d n för f sta gång n.

U Ba såg på mig och reciterade hela strofen utantill.

"Den finns i en diktsamling av Eliot, T S Eliot. Jag
beundrar honom mycket." Han log belåtet och visade
mig de första sidorna i boken. De var fulla med ditklist-
rade pappersbitar med bokstäver som fattades. "Den
blir kanske inte som ny, men texten går i alla fall att
läsa igen."

Jag lät blicken glida mellan honom och boken. Mena-
de han allvar? Volymen måste ha innehållit minst två-
hundra trasiga sidor. "Hur lång tid tar det för dig att
laga en sådan där bok?"

"Ett par månader numera. Det gick fortare förr i värl-
den. Nu fungerar inte ögonen riktigt som de ska och
ryggen protesterar efter att jag har suttit framåtböjd
bara några timmar. Andra dagar darrar händerna våld-
samt." Han bläddrade igenom de återstående sidorna
och suckade. "Just den här boken är i ett bedrövligt
skick. Till och med maskarna tycks gilla Eliot."

"Men det måste ju finnas någon effektivare metod
att laga böcker. Du kommer aldrig att klara det på det
här viset."

"Jag är inte i stånd att hitta på någon ny metod,
tyvärr."

"Jag kan skicka nya utgåvor från New York av de

böcker som betyder mest för dig", föreslog jag.

"Du behöver inte göra dig så mycket besvär. Jag läste de viktigaste böckerna medan de ännu var i gott skick."

"Varför lagar du dem då?"

Han log.

Vi sa ingenting på en stund och jag såg mig omkring. Här stod jag i ett trähus utan el och rinnande vatten, omgiven av tusentals böcker. "Var har du fått tag i dem allihop?" frågade jag.

"Från engelsmännen. Jag blev förtjust i böcker redan som barn. Många britter kom inte tillbaka efter kriget och när landet blev självständigt var det många varje år som for härifrån. De böcker som de inte ville ta med sig gav de till mig." Han reste sig, gick fram till en bokhylla, tog ut en skinnbunden volym och bläddrade igenom den. Sidorna såg ut att vara perforerade. "Många böcker delar Eliotvolymens dystra öde, förstår du. Klimatet, maskarna och insekterna har gjort sitt." U Ba gick bort till ett litet skåp som stod bakom skrivbordet. "Här finns de böcker som jag har lagat." Han pekade på en rad med tjugo trettio böcker, tog fram en av dem, och gav den till mig. Den var bunden i kraftigt skinn och var len och mjuk att ta i. Jag slog upp boken. Till och med titelsidan var översållad med pappersbitar. *Ett folks själ* stod det med stor stil. London 1902.

"Om du vill lära dig mer om vårt land är den här boken av Harold Fielding Hall en god början."

"'Den är då inte särskilt aktuell", sa jag en smula irriterad.

"Folksjälen förändras inte över en natt."

U Ba drog i örsnibbarna och såg sig omkring. Han

letade uppenbarligen efter något. Han tog upp några böcker som stod på en hylla längre ner. Han hade ställt den ena raden böcker bakom den andra. Han tog ur en nyckel på en rödlackerad ask som stod på skrivbordet och öppnade en låda. "Det var väl det jag trodde. Jag hade låst in den", sa han och lyfte ut en bok. "Den är skriven med blindskrift. Su Kyi gav den till mig strax innan hon dog. Det är den första delen av en av Tin Wins favoritböcker. Hon glömde att packa ner den när han skulle resa till Rangoon."

Boken var tung och otymplig. Flera tejpbitar höll med möda ihop bokryggen. "Det är bäst att du sätter dig någonstans. Kom med! Vi tar en kopp kaffe så kan du undersöka boken i lugn och ro."

Vi gick in i vardagsrummet. U Ba hällde varmt vatten ur en termos i ett glas och gjorde i ordning kaffe till mig. Jag lade boken i knät och öppnade den. Sidorna var lika fulla med hål som i de andra böckerna. Jag drog tankspritt pekfingret över en sida som om jag kontrollerade min städerskas förmåga att noggrant göra ren en dammig hylla. Boken gjorde mig osäker och illa till mods. Jag slog igen den med en smäll och lade den på bordet. Jag hörde sång i fjärran. Det var många som sjöng, men rösterna var svaga och hördes knappt, tonerna var så låga att de nästan tonade bort innan de nådde mina öron, likt en våg som försvann i sanden innan den sköljde över min fot.

Det var tyst men jag lyssnade spänt. Jag hörde ingenting, men så fångade jag upp några toner igen och så försvann de. Jag höll andan och satt blickstilla ända tills jag hörde sången på nytt, en smula högre den här gången. Ljudet var så pass högt att jag nog inte skulle tappa bort det igen. Det måste vara en barnkör som outtröttligt upprepade ett melodiskt mantra.

"Är det barn från klostret?" frågade jag.

"I alla fall inte de från klostret inne i staden. Det finns ett annat kloster uppe i bergen och när vinden ligger på hörs deras sång ner till oss på morgnarna. Du hör detsamma som Tin Win och Mi Mi hörde. Det lät likadant för femtio år sedan."

Jag slöt ögonen och huttrade till. Det kändes som om barnrösterna trängde in genom öronen och vidare in i kroppen och rörde vid mig på ett ställe där inga ord, inga tankar och inga människor någonsin tidigare hade vidrört mig.

Vari bestod denna tjuskraft? Jag förstod inte ett enda ord av det de sjöng. Vad var det som påverkade mig så starkt? Hur kunde en människa bli rörd till tårar av någonting som hon varken kunde se, förstå eller gripa tag i, ett flyktigt ljud bara som försvann i nästan samma ögonblick som det blev till?

Pappa sa ofta att musik var det enda skälet till att han ibland kunde tro på himmelska makter och en gud.

Varje kväll innan han gick till sängs brukade han sitta med slutna ögon i vardagsrummet och lyssna på musik i hörlurarna. Hur ska min själ annars finna ro till natten? Så hade han sagt med låg stämma.

Jag kan inte påminna mig en enda konsert eller opera där han inte grät. Tårarna rann nedför kinderna som vattnet i en sjö som tyst men kraftfullt stiger över sina bräddar. Han log hela tiden.

En gång frågade jag pappa vad han skulle ta med sig

till en öde ö, om han fick välja mellan böcker och musik. Jag minns inte svaret.

Jag önskade att barnens sång aldrig skulle ta slut. Den skulle följa mig under dagens bestyr, genom livet och i livet efter detta. Hade jag någonsin förr känt mig så nära pappa? U Ba hade kanske rätt. Pappa fanns måhända i närheten och det enda som jag behövde göra var att söka efter honom.

Tredje delen

Kapitel 1

Jag ville se huset där pappa växte upp. Tänk om Mi Mi och pappa gömde sig där? U Ba var tveksam.

"Byggnaderna är i uselt skick. Du kommer att behöva all din fantasi för att hitta några spår från hans barndom där", sa han varnande.

Men jag kunde redan höra pappas andetag bara några meter före mig. Han flämtade eftersom han hade burit Mi Mi uppför berget. Hon hade blivit tyngre och han var till åren kommen. Jag hörde att de viskade. Jag hörde deras röster. Några steg till, så skulle jag hinna ifatt dem.

Bara några steg till.

"Jag måste ordna en sak", sa U Ba. "Vill du fortsätta på egen hand?" Han pekade ut vilken väg jag skulle ta och sa att han skulle gå ifatt mig sedan.

Så jag fick ta mig över bergskammen alldeles själv. U Ba hade beskrivit stigen in i minsta detalj, den jordiga stigen med de djupa groparna och hjulspåren. Besynnerligt nog kändes den välbekant. Jag blundade och försökte föreställa mig att pappa gick stigen fram. Jag häpnade över hur många skilda ljud som jag plötsligt hörde. Fåglar. Gräshoppor. Cikador. Ett obehagligt högt surrande av flugor. En hund som skällde långt borta. Fötterna sjönk ner i groparna och hjulspåren i marken. Jag snavade men föll inte omkull. Det luktade gott av eukalyptus och jasmin. En oxkärra for förbi. Djuren var utmärglade. Huden stramade över revbenen och ögonen trängde ut ur skallen som om de var på väg att sprängas av ansträngning.

På andra sidan bergets krön fick jag syn på huset. Jag saktade in stegen och när jag kom fram till trädgårdsgrinden stannade jag och såg mig modfälld omkring.

Grinden hängde på trekvart, det nedersta gångjärnet var avbrutet. Det växte gräs i springorna på de murade grindstolparna. Trästaketet var dolt bakom ett buskage. Var och varannan skifferplatta saknades. Gräset på gården var gråbrunt till färgen, det hade blivit bränt av solen. Huvudbyggnaden, en gul tvåvåningsvilla i tudorstil, hade en pampig balkong på andra våningen och därifrån måste man ha haft fin utsikt över staden och bergen. Balkongpelarna, takfoten och infattningen runt fönstren var prydda med träsniderier. Det fanns ett drivhus och flera burspråksfönster. Ett träd stack upp ur skorstenen. Den klena takstommen var blottad på flera ställen där det saknades takpannor. Nästan hälften av stolparna i balkongräcket var borta och regnet hade fått färgen på husfasaden att blekna. De flesta fönstren var trasiga.

Tomma hus gjorde mig nedstämd, även i New York. Som barn hade jag alltid undvikit dem och korsat gatan så fort jag fick syn på några. De var hemsökta. Bakom de uppspikade bräderna över fönstren låg spökena på lur efter just mig. Jag vågade bara gå förbi dem om jag var i sällskap med pappa och till och med då måste jag gå på den sida som vette åt gatan.

Den här villan utstrålade samma kusliga atmosfär. Varför höll man inte huset i skick? Dess forna elegans var fortfarande uppenbar. Vem som helst skulle utan större ansträngning ha kunnat bevara den. Skulle ha kunnat, ja, just det.

Om inte om hade varit, hur skulle det då ha gått? Vad dolde sig där inne i huset? Vålnader? Två glömda liv?

Ett stycke nedanför huset låg det förfallna skjul där pappa och Su Kyi måste ha bott. Det var mindre än vårt vardagsrum i New York. Jag såg inte till några fönster och bara en tom dörrkarm. Det bruna korrugerade plåttaket var förstört av rost och leran vittrade sönder på väggarna. Jag fick syn på spisen, en hög medfaren tändved och träbänken. Två unga kvinnor satt där med spädbarn i knät. De såg leende på mig. Bredvid skjulet hängde fyra longyis på tork i solskenet. Två unghundar sprang runt på gården. En tredje krökte rygg, förrättade sitt tarv och gav mig sedan en dyster blick.

Jag tog ett par djupa, lugna andetag och gick in genom grinden. På gräsmattan framför mig stod en trädstubbe. Den måste vara kvar efter ett väldigt stort och gammalt pinjeträd. Myrorna strömmade fram över den tjocka barken. Träet var mjukt och avgnagt på flera ställen men kärnvirket var fortfarande friskt efter alla dessa år. Jag klättrade utan svårighet upp på stubben. Den var fuktig och hård. Flera stora buskar hindrade utsikten över dalen. Nu insåg jag varför jag till varje pris hade velat se just den här platsen men samtidigt hade fruktat det. Här fanns nyckeln till U Bas berättelse. När jag hörde barnen sjunga i klostret i morse upphörde hans historia att vara en fabel. Orden ekade i mina öron och jag kunde förnimma doften av berättelsen och känna den med mina händer. Här var trädstubben där pappa förgäves hade väntat på sin mamma, min farmor. Här hade han varit nära att svälta till döds. Här på gården hade han förlorat synen och han hade bott i denna avsides belägna lilla stad där inte mycket hade förändrats under de senaste femtio åren. Han och Mi Mi. U Ba förde mig till dem. Jag hörde deras viskningar. Deras röster. Det krävdes bara några steg till.

Tänk om de skulle stå framför mig innan jag visste ordet av? Blotta tanken gjorde mig panikslagen. Pappa och Mi Mi gömde sig kanske i det här förfallna huset. Hade de redan fått syn på mig från fönstret? Skulle de gömma sig för mig, springa därifrån eller komma ut ur huset och gå fram till mig? Vad skulle jag säga? Hej, pappa? Varför lämnade du oss? Hur kommer det sig att du aldrig har berättat om Mi Mi? Jag har saknat dig?

Hur skulle han reagera? Skulle han bli arg på mig för att jag hade letat reda på honom och för att jag hade hittat honom när han så uppenbart hade tänkt försvinna spårlöst? Borde jag ha respekterat hans önskemål och stannat kvar i New York? Skulle han trots allt ta mig i famn? Skulle jag få se ögonen stråla, det där skimret som jag hade saknat så djupt? Det smärtade mig att jag var så osäker på hur pappa skulle bete sig. Varför tvivlade jag på att han skulle bli glad över att träffa mig?

"Mi Mi och din far bor inte här." Det var U Ba som talade. Jag hade inte märkt att han hade kommit.

"Du skrämde mig, U Ba."

"Förlåt, det var inte meningen."

"Hur kunde du veta vad jag tänkte på?"

"Vad skulle du annars tänka på?"

Han log och lade huvudet på sned. Sedan gav han mig en tillgiven blick, en blick som gav mig mod. Jag ville sträcka fram handen till honom. Han borde ledsaga mig förbi detta spökhus, han borde leda mig hem. Till tryggheten.

"Vad är du rädd för?"

"Jag vet inte."

"Du borde inte ha någon anledning till oro. Du är hans dotter. Varför tvivlar du på hans kärlek?"

"Han lämnade oss."

"Behöver det ena utesluta det andra?"

"Ja."

"Varför det? Kärleken tar sig så många olika uttryck att vår fantasi inte räcker till för att upptäcka dem alla."

"Varför måste det vara så svårt?"

"För att vi bara ser det som vi redan känner till. Vi projicerar både våra goda och dåliga egenskaper på andra. Sedan kallar vi det kärlek som överensstämmer med vår fantasibild av den. Vi vill bli älskade på samma vis som vi själva skulle älska någon. Alla andra sätt gör oss osäkra och illa till mods. Vi reagerar mot detta genom att bli misstänksamma och tvivlande. Vi förstår inte språket. Vi kommer med anklagelser. Vi hävdar att den andre inte älskar oss. Men han kanske älskar oss på sitt eget speciella vis som vi inte känner igen. Jag hoppas att du kommer att förstå vad jag menar när jag är klar med min berättelse."

Jag förstod inte vad U Ba sa. Men jag litade på honom.

"Jag köpte lite frukt på marknaden. Vi kan sätta oss under avokadoträdet om du vill, så kan jag berätta vidare." Han skyndade med raska steg fram till de unga kvinnorna som uppenbarligen kände honom väl. De skrattade, kastade en blick på mig, nickade och reste sig. U Ba tog träbänken under armen och bar den med sig till trädet där jag stod och väntade i skuggan.

"Om jag inte tar miste var det din farfar som snickrade den här teakbänken. Den kommer att hålla i minst hundra år. Vi har bara behövt laga den en enda gång." Han tog fram en termos och två små glas ur en väska och hällde upp te.

Jag blundade. Pappa var på väg till Rangoon och jag kände på mig att det skulle bli en hemsk resa.

Kapitel 2

Spela död. Rör dig inte. Hoppas på att tiden går. Ge inte
ett ljud ifrån dig. Vägra ta emot mat och dryck. Ta ytliga
andetag. Hoppas på att det inte är sant.

Tin Win satt hopkrupen på sätet ombord på tåget,
oemottaglig för alla kontaktförsök. Han ignorerade
männens frågor och till slut gav de upp och lämnade
honom ifred. Samtalen och hjärtslagen från medpas-
sagerarna flög förbi honom utan att han brydde sig om
det, precis som det nattliga landskapet flög förbi ögonen
på de andra resenärerna.

Den lugna stämningen i onkelns hus gjorde allting
lättare. Här behövde han inte byta tåg eller ignorera
några frågor. Han var ensam. Han låg orörlig på en säng
med utsträckta armar och ben.

Spela död. Han lyckades inte alltid med det.

Tin Win brukade gråta. Han genomfors av kramper
som pågick några minuter och sedan långsamt ebbade
ut, likt vatten som rinner genom sand.

"Snälla", sa han halvhögt, som om det vore någon
mer i rummet, "snälla, låt det inte vara på det här viset.
Låt mig vakna är du snäll." Han fantiserade om att han

låg på sin halmmatta i Kalaw bredvid Su Kyi som sov intill honom. Han låg kvar medan hon klev upp. Han hörde att hon stökade omkring i köket. Han kände den sursöta doften av färsk papaya. Han hörde att Mi Mi satt framför honom och sög på en mangokärna. Rangoon var en ond dröm. Ett missförstånd. Långt, långt bort, likt åskmoln vid horisonten som rörde sig i en annan riktning.

Tin Win kände vilken oändlig lättnad det hade varit om detta vore sant. Men fantasierna var redan upplösta som rök i vinden.

Det knackade på dörren. Tin Win brydde sig inte om att svara, men då knackade det igen. Dörren slogs upp och någon kom in. En pojke, trodde Tin Win. Han märkte det på gången. Män och kvinnor gick på olika vis. Männen var klumpigare och förde mer oväsen när de gjorde entré och satte fotsulorna i golvet medan kvinnorna ofta satte i hälen först och sedan tårna och gick tystare. De smekte golvet med fotsulorna. Pojken gick med snabba steg. Han ställde en bricka på bordet bredvid sängen. Det luktade gott av ris och grönsaker. Pojken hällde vatten ur en kanna och ner i glaset. Han påpekade att Tin Win måste dricka mycket. Han hade ju bott i bergen och var inte van vid hettan i huvudstaden. När han hade acklimatiserat sig några veckor skulle han må bättre. Tin Win kunde vila så mycket han ville och om han behövde någonting var det bara att ringa. Hans onkel var ute men skulle komma hem till kvällsmaten.

När Tin Win blev ensam igen satte han sig upp i sängen och balanserade brickan över knäna. Han åt några skedblad ris. Curryn var mycket god, men han hade inte någon aptit. Vattnet vederkvickte honom.

När han hade acklimatiserat sig några veckor ... Orden, som var menade att pigga upp honom lät i stället som en förbannelse. Han kunde inte tänka sig att tillbringa ens en enda dag till i huvudstaden utan Mi Mi.

Någonting surrade ovanför huvudet på honom, ett genomträngande och mycket obehagligt ljud som saknade rytm och var motbjudande och monotont. Det blev inte mildare, det blev varken högre eller lägre och inte heller svagare. Samtidigt kände han ett svagt drag där uppifrån. Först då märkte han hur varmt det var. Den svaga brisen gav inte någon svalka. Luften var alltför varm för det. Om den hade varit varmare skulle den ha bränt mot huden.

Tin Win klev upp och började undersöka rummet. Han höll andan och lyssnade. Ett par myror gick över väggen framför honom. Under sängen fanns en spindel på lur och i nätet hade en fluga nyss trasslat in sig. Han hörde att den fäktade, han hörde att det desperata surrandet avtog i styrka. Spindeln kröp fram till bytet. Två geckoödlor klamrade sig fast i taket och snärtade med tungan i tur och ordning. Inget av dessa ljud var särskilt uppbyggligt. Han svängde med armarna och tog ett steg.

Stolar gör inget väsen av sig och luktar inte någonting. Handryggen stötte emot kanten på trästolen och då skrek han till. Smärtan sköt som en pil upp till axeln. Han ställde sig på knä och kröp på alla fyra genom rummet. Bord gör inget väsen av sig och luktar inte någonting. Nu skulle han få ett fult blåmärke i pannan.

Tin Win var som en lantmätare som kartlägger ny mark när han trevade sig runt i rummets alla vrår för att inte råka ut för fler skador. Förutom bordet och stolen fanns det ett stort skåp som stod vid väggen. På ömse sidor om sängen fanns två höga men smala bord med en lampa på varje. Ovanför bordet hängde en tavla. De två höga, halvöppna fönstren nådde nästan ner till golvet. Fönsterluckorna var stängda. Tin Win knackade i golvet. Torkad teak. Den hade den där omisskännliga resonansen. Han funderade på att undersöka hela huset, men gick till sängs i stället i väntan på att onkeln skulle komma hem.

Tin Win vaknade av att det knackade på dörren. Det var samma pojke som mitt på dagen. Hans onkel väntade honom till kvällsmaten.

Tin Win satte tveksamt den ena foten framför den andra när han gick nedför trappan som svängde i en vid båge ner till första våningen. Ekot av stegen upplyste honom om rummets storlek. Det måste vara jättestort, en sorts atrium som nådde ända upp till taket. Tin Win hörde att pojken gick bredvid honom. När de kom till det nedersta trappsteget tog han Tin Win under armen och ledde honom genom ytterligare två stora rum och vidare in i matsalen.

Medan U Saw väntade på Tin Win hade han blandat en sodavatten med limejuice och gått ut på terrassen för att ta sig en titt på trädgården bakom huset. Ett stort brunt blad hängde från en av palmerna. Någon av trädgårdsmästarna måste ha förbisett det, ett slarv som U Saw inte tolererade. Han undrade om det var dags igen att avskeda någon av tjänarna. Det var bästa kuren mot de andras lättja – åtminstone i några månader. Han tog några steg på gräsmattan, böjde sig ner och undersökte om gräset var välklippt och jämnt. Några strån stack upp ovanför de andra. Dagen därpå skulle han ordna allt som behövdes.

U Saw tillhörde den fåtaliga skara burmeser som hade skaffat sig stora rikedomar under brittiskt styre. Om man räknade samman hans företag, hans egendomar i utlandet och det kapital han ägde i reda pengar visade det sig att han var en av landets rikaste män bortsett – förstås – från vissa engelsmän och några andra européer som levde i en värld för sig, en värld som hade föga med resten av Burma att göra och som därför inte inbjöd till några jämförelser. Fastigheten på Halpin Road stod sig dock väl i konkurrens med kolonialherrarnas ståtliga palats. Ett hus med tjugofem rum, swimmingpool och tennisbana hittade man inte i varje gathörn, inte ens i de vitas kvarter. Eftersom U Saw inte spelade tennis själv krävde han att tjänarna skulle göra det. Varje morgon vid soluppgången slog två av de fem trädgårdsmästarna bollen fram och tillbaka i en timme för att ge intryck av att ägaren själv regelbundet använde tennisplanen. Därför ansåg grannarna och de som kom på besök till U Saw att han var osedvanligt sportig av sig. Förutom trädgårdsmästarna hade U Saw i sin tjänst två kokerskor, två chaufförer, flera städerskor, tre nattvakter, en tjänare, en butler och en ekonomiansvarig som skötte inköpen.

För många år sedan diskuterades det friskt om varifrån U Saw hade fått sin förmögenhet, men ryktena dog ut i samma stund som det blev bekant att hans rikedomar hade blivit ännu större. När man har upp-

nått en viss ställning i samhället är man skyddad mot
meningslösa spekulationer.

Det enda som invånarna i huvudstaden kände till om
U Saws liv var att han som ung man i seklets början
hade börjat umgås i tyska kretsar i Rangoon. Han talade
språket flytande och hade på ett tidigt stadium avance-
rat till direktör för en stor tyskägd risfabrik. När första
världskriget bröt ut tvingades ägaren och de flesta av
hans landsmän att överge den brittiska kolonin. Han
hade skrivit över företaget på U Saw, antagligen på vill-
kor att det skulle återgå i hans ägo när han kom tillbaka
efter krigsslutet. Två rismagnater hade tydligen gjort
gemensam sak med honom och hade sålt sina företag
till U Saw för en symbolisk summa på några få rupier.
Ingen av dem syntes någonsin till igen i Rangoon. U Saw
hade aldrig sagt ett ord om denna tursamma ödets nyck.

På tjugotalet expanderade U Saws företag och han
vände skickligt depressionen i början av trettiotalet –
även Sydostasien drabbades av den – till sin egen fördel.
Han köpte upp risfält och kvarnar som hade drabbats
ekonomiskt och tog sedan över en indisk rismagnats
affärer och snart kontrollerade han rishandeln från ris-
korn till export. Han skaffade sig goda relationer inte
bara till sina indiska konkurrenter utan även till engels-
männen och den kinesiska minoriteten. Som det anstod
en man i hans ställning gav han stora donationer till de
två största klostren i Rangoon. Han hade redan beställt
tre pagoder i sitt namn och i hallen i hans hus stod ett
imponerande buddhistiskt altare.

Kort sagt, vid femtio års ålder var U Saw mer än
nöjd med sig själv och sin lott. Inte ens hans hustrus

tragiska död två år tidigare kunde förringa detta. För hans del hade deras barnlösa äktenskap bara varit ett konvenansparti. Hustrun var dotter till en skeppsredare och U Saw hade förväntat sig att han genom giftermålet skulle kunna sänka sina transportkostnader. Hur skulle han ha kunnat veta att den aktade skeppsredaren stod på randen till bankrutt? Äktenskapet blev fullbordat – om än med långa mellanrum.

U Saw kunde inte påstå att han saknade sin hustru särskilt mycket. Däremot var de omständigheter under vilka hustrun hade gått döden till mötes mer besvärande för honom. En astrolog hade bestämt avrått honom från att åka på en affärsresa till Calcutta. Om han gjorde det skulle hans familj råka ut för en stor olycka. U Saw hade åkt i alla fall. Två dagar senare hittades hustrun i sin säng. En hoprullad kobra låg och sov på lakanet. Den måste ha krupit in i sovrummet genom fönstret som hade stått öppet.

I fortsättningen fattade inte U Saw några viktiga beslut utan att först rådfråga spåmän eller astrologer. Bara två veckor tidigare hade en astrolog siat om en personlig och affärsmässig katastrof – U Saw hade inte förstått skillnaden men han hade inte bett om någon närmare förklaring – som endast kunde undvikas om han hjälpte en släkting som befann sig i trångmål. Denna varning hade kostat honom några sömnlösa nätter. Han kände inte till att några släktingar skulle ha det speciellt besvärligt. De var fattiga allihop. De ville alltid ha pengar och det var därför som han hade brutit med dem för åratal sedan. Men trångmål? Till slut erinrade han sig med möda att han hade hört talas om en av hustruns avlägsna släktingar, en pojke vars far hade dött, som hade gått ett sorgligt öde till mötes. Pojken hade förlorat synen över en natt och hans mor hade övergett honom. Enligt ryktet bodde han hos en grannkvinna som även såg efter U Saws villa i Kalaw. Att hjälpa en blind pojke var väl det allra bästa sättet att blidka stjärnorna? Han hade hovsamt frågat astrologen om inte en gåva till klostret, en generös gåva, väl att märka, också kunde förhindra den väntande katastrofen. Det skulle ha inneburit färre komplikationer. Jaså, inte det? Om han lät bygga ännu en pagod? Eller två, rentav? Nej. Stjärnorna var tydliga på den punkten.

Redan dagen därpå hade U Saw skickat två av sina mest pålitliga medarbetare till Kalaw.

När U Saw hörde röster i matsalen gick han in igen. Han stod som förstenad när han fick syn på Tin Win. Han hade väntat sig en krympling, en fysiskt och mentalt underutvecklad pojke, vars svåra belägenhet skulle väcka omgivningens medkänsla. Men det här var en robust och stilig ung man, minst två huvuden högre än onkeln och full av självförtroende. Han var klädd i vit skjorta och en ren grön longyi. Han såg inte ut att befinna sig i nöd. U Saw blev besviken.

"Välkommen till Rangoon, käre gosse! Det gläder mig att äntligen ha dig här."

Tin Win blev irriterad på U Saws röst redan vid första meningen. Han kunde inte tolka onkelns röst. Den slog inte an någon sträng hos honom. Den lät vänlig, varken för stark eller för djup, men den saknade någonting som Tin Win inte riktigt kunde sätta fingret på. Den påminde honom om surrandet i taket. Och onkelns hjärtslag lät ännu konstigare – bultandet var monotont och uttryckslöst som tickandet från väggklockan i korridoren.

"Jag hoppas att den långa resan inte var alltför ansträngande", fortsatte U Saw.

"Nej."

"Hur har du det med ögonen?"

"De är bra."

"Jag trodde att du var blind."

Tin Win hörde att han lät förvirrad. Han förstod att det här inte var rätt ögonblick att ge sig in i en diskussion om blindhet och synförmåga.

"Jag menade bara att de inte gör ont."

"Det var ju skönt att höra. Jag fick tyvärr först nyligen höra talas om ditt lidande av en bekant i Kalaw. Självfallet skulle jag annars ha försökt hjälpa dig för länge sedan. En god vän till mig, doktor Stuart McCrae, är överläkare vid det största sjukhuset i Rangoon. Han är chef för ögonavdelningen. Jag har bett honom att undersöka dig med det snaraste."

"Jag är överväldigad av denna generositet", sa Tin Win. "Jag vet inte hur jag ska kunna tacka dig."

"Tänk inte på det. Man har gjort stora framsteg inom läkarvetenskapen. Kanske kan du bli hjälpt av glasögon eller en operation", sa U Saw, vars humör hade förbättrats betydligt. Han uppskattade Tin Wins inställsamma ton. Hans röst flödade redan över av tacksamhet, precis som den borde. "Vill du ha något att dricka?"

"Lite vatten, möjligen."

U Saw hällde vatten i ett glas och osäker på hur han skulle ge det till Tin Win ställde han glaset med ett ljudligt klirrande på bordet bredvid. Tin Win trevade efter glaset, tog det i handen och läppjade på vattnet.

"Jag har bett kokerskan att laga kycklingsoppa och ris med fisk och curry till dig. Hoppas att du tycker om det."

"Det gör jag säkert."

"Behöver du hjälp när du ska äta?"

"Nej tack."

U Saw slog ihop händerna och ropade ett namn. Pojken kom tillbaka och ledde Tin Win till hans stol. Han satte sig och kände på föremålen på bordet framför sig – en flat tallrik och en djup skål och bredvid låg en servett, en sked, en kniv och en gaffel. I klostret hade U May en gång tryckt dessa attiraljer i handen på honom och berättat att engelsmännen åt med sådana ting och inte med händerna. Tin Win hade redan provsmakat lunchcurryn med en sked och till sin förvåning upptäckt att den var lätt att använda.

U Saw konstaterade lättad att Tin Win visste hur man använde besticken och att blindheten inte hindrade honom från att äta värdigt och korrekt. Inte ens soppan var till besvär. U Saw hade med fasa föreställt sig att Tin Win kanske behövde matas om kvällarna och att han måhända dreglade och spillde mat på bordet.

Ingen av dem sa något. Tin Win tänkte på Mi Mi. Han undrade hur hon skulle ha beskrivit hans onkel. Hade han knubbiga fingrar? Var han överviktig? Hade han dubbelhaka precis som sockerrörshandlaren i Kalaw vars hjärtslag lät lika dova som onkelns? Hade han glimten i ögat eller var blicken lika uttryckslös som bultandet i bröstet? Vem skulle hjälpa honom, Tin Win, att tyda den nya värld som han hade kommit in i? Läkaren? Vad skulle onkelns gode vän göra med honom? Skulle han få resa hem till Kalaw igen när de väl insåg att det inte fanns någonting att göra? Med en smula tur skulle han vara tillbaka hos Mi Mi i slutet av nästa vecka.

Tänk om läkarna gav honom synen åter! Inte förrän nu hade Tin Win övervägt den möjligheten, varken under de gångna åren eller sedan sin ankomst till Rangoon. Och varför skulle han ha gjort det? Han hade redan allt han behövde.

Tin Win försökte föreställa sig vad följden skulle bli vid en lyckad operation. Han skulle kunna se med ögonen. Skarpa konturer. Ansikten. Skulle han ha sin skarpa hörsel i behåll? Han såg i fantasin hur han tittade på Mi Mi. Hon låg naken framför honom med sin slanka kropp och de små fasta brösten. Han såg hennes platta mage och blygdhåret. Hennes mjälla lår, hennes slida. Märkligt nog blev han inte uppeggad av den bilden. Det fanns ingenting ljuvligare än att smeka hennes hud med tungan, vidröra hennes bröst med läpparna och höra hennes hjärta bulta allt vildare.

Han avbröts i sina tankegångar av onkelns röst. "Jag har en del att stå i de närmaste dagarna och hinner inte umgås med dig särskilt mycket." Han lade ifrån sig besticken. "Men Hla Taw, en av tjänarna, kommer ständigt att stå till ditt förfogande. Han kan visa dig omkring i trädgården och i staden också om du vill. Säg till honom om du behöver något. Om jag hinner så ska vi äta middag tillsammans under helgen. På tisdag ska du träffa doktor McCrae." U Saw tvekade. Hade astrologen fastställt hur mycket tid han borde tillbringa i sällskap med sin nödställde släkting? Han kunde inte påminna sig något om det. För att bli riktigt säker tänkte han träffa honom igen i morgon eftermiddag.

"Jag ber att få tacka, U Saw", sa Tin Win. "Jag förtjänar inte all denna generositet."

U Saw reste sig från bordet. Han var utomordentligt nöjd. Tin Win hade känsla för det passande. Tanken på att han, U Saw, skulle kunna bidra till att gossen fick tillbaka synen gjorde honom förtjust. En sådan ädel handling och en sådan generositet som knappast kunde tas för given skulle säkerligen inte vara bortkastad.

Kapitel 3

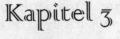

Tin Win sov på dagarna och låg vaken på nätterna. Han hade drabbats av diarré. Badrummet verkade ligga allt längre bort och han tillbringade många timmar på kakelgolvet framför toaletten av rädsla för att han annars inte skulle hinna dit i tid.

Underliga ljud hånade och skrämde honom från alla håll. Någonting slamrade och porlade bakom väggarna och under golvet i badrummet. Spindeln under sängen hade blivit glupsk. Flugornas dödskamp, benen som bröts av, spindelns sörplande och tuggande – allt detta fyllde honom med avsmak. En morgon hörde han en orm som tyst gled fram över golvet i hans rum. Ormen avslöjades av sina hjärtslag. Han hörde när den kom närmare. Den kröp upp i hans säng, gled över hans ben. Han kände den kalla, fuktiga ormkroppen genom det tunna lakanet. Den väste intill hans huvud som om den ville berätta en historia. Flera timmar senare försvann den genom fönstret som stod på glänt. Geckoödlorna i taket fick sig ett gott skratt på hans bekostnad. Mer än en gång höll han för öronen och ropade på hjälp.

Hla Taw skyllde på hettan och den ovana maten. Men

Tin Win visste bättre. Han satt på stubben och väntade. Hon hade sagt att hon snart skulle komma tillbaka.

Tin Win drog ett djupt andetag och höll andan. Han räknade sekunderna. Fyrtio. Sextio. Trycket ökade över bröstet. Nittio. Etthundratjugo. Han började känna sig yr. Kroppen skrek efter syre. Tin Win gav sig inte. Han hörde att hjärtslagen började bli ojämna. Han visste att han hade förmågan att få hjärtat att stanna. Bra.

Döden dök upp i fjärran och närmade sig med stora kliv. Han blev allt större ända tills han stod framför Tin Win.

"Du kallade på mig."

Tin Win blev rädd för sig själv. Han hade kallat på döden, men han ville inte dö än. Inte än. Inte här. Han måste få träffa Mi Mi igen, han måste få känna hennes kropp mot sin, hennes bröst mot sin hud, hennes läppar mot sitt öra, han måste få höra hennes hjärta sjunga.

Han tog några djupa andetag.

Han skulle ta reda på vad onkeln ville ha av honom. Han skulle göra som han blev tillsagd och sedan återvända till Kalaw så snabbt som möjligt.

Fyra dagar senare stod Tin Win vid dörren till terrassen och lyssnade spänt. Det regnade. Det öste inte ner utan regnade ihållande, ett långsamt trummande och smattrande mot taken. Tin Win tyckte om regnet, det var en bundsförvant. I regnet hörde han Mi Mis viskningar, den där rösten som var full av så mycket kärlek. Regnet gav form åt trädgården och huset, det lyfte en slöja från onkelns egendom. Det skapade bilder. Regnskuren lät annorlunda i olika delar av trädgården. Bredvid honom smattrade dropparna mot plåttaket som förband köket med resten av huset. Framför honom fräste de mot stenarna på terrassen och tack vare regnet kunde han nu avgöra exakt hur stora de var. Dropparna föll med ett mer dämpat ljud mot gräset. Han hörde trädgårdsgången mellan rabatterna, buskarna och gräsmattan. Regnvattnet trängde ner nästan ljudlöst i den sandiga marken. Dropparna slog mot de stora palmbladen och rann sedan nedför stammen, forsade över blommorna och ryckte och slet i blombladen. Tin Win lade märke till att trädgården inte var plan utan vattnet rann nästan ohörbart i riktning mot gatan. Det kändes som om han hade gått fram till fönstret i sitt rum, öppnat fönsterluckorna och sett omgivningarna för första gången.

Regnet ökade i styrka och då smattrade dropparna ännu hårdare mot plåttaket. Tin Win gick ut på terrassen. Regnvattnet var mycket varmare än i Kalaw. Han sträckte ut armarna. Dropparna var stora och tunga. Han kände Mi Mi på ryggen. Han ville visa trädgården för henne. Han tog några steg och började sedan springa. Han rusade över terrassen och ner på gräsmattan, väjde för en palm, sprang runt tennisbanan, hoppade över två små buskar, susade in genom en välvd ingång i häcken som omgärdade trädgården och vände sedan tillbaka till terrassen. Han gjorde det en gång till. Och ännu en. Löpningen kändes som en befrielse. Den frigjorde krafter inom honom som hade mattats av på sistone.

Regnet fick honom att ta sig samman och befria sig från ångesten. För varje regndroppe som föll kände han sig alltmer levande. Mi Mi fanns hos honom. För det var hon som hade öppnat hans ögon, det var hon som bokstavligen såg åt honom och därför skulle hon alltid finnas hos honom. Det enda som kom emellan dem var hans sorg och rädsla. U May hade sagt åt honom att rädslan gjorde en blind och döv. Vreden förblindade och gjorde en döv. Samma sak var det med avundsjuka och misstänksamhet. Det fanns bara en enda kraft som var starkare än fruktan.

Tin Win rusade fram till terrassen. Han var andlös och genomblöt av glädje.

"Tin Win!" Det var onkelns röst. Varför hade han gått så tidigt från kontoret?

"Doktor McCrae har hört av sig. Vi måste åka dit i dag, nu med en gång." U Saw iakttog Tin Win en stund under tystnad. "Jag såg att du sprang. Är du verkligen blind?"

Han var så nära sanningen och ändå så långt ifrån den.

Undersökningen tog bara några minuter. En sjuksköterska höll tag i hans huvud. En läkare med starka händer drog i huden runt ögonen. Stuart McCrae lutade sig fram mot honom. Andedräkten luktade tobak.

McCrae yttrade inte ett enda ord vid själva undersökningen. Tin Win koncentrerade sig på doktorns hjärtslag och undrade om han rentav skulle kunna sluta sig till diagnosen med ledning av bultandet. Rytmen varierade inte. Den var inte obehaglig utan bara främmande. Den lät lugn och förtroendeingivande, precis som rösten. McCrae talade i korta meningar som han påbörjade mitt i och avslutade lika abrupt, utan några moduleringar av rösten. Det lät inte obehagligt, bara blottat på alla sinnesrörelser.

Den enkla diagnosen fastställdes snabbt: Tin Win var blind. Grå starr. Mycket ovanligt i hans ålder. Förmodligen ärftligt. Operabelt. I morgon, om det passade.

Injektionerna var värst. De stack honom med stora långa nålar ovanför och nedanför ögonen och bakom öronen. Den kalla metallen trängde allt djupare in i huden, som om de försökte trä upp honom på ett spett. Sedan tog de bort linserna. Tin Win kände att de skar i honom men det gjorde inte ont. De begärde nål och tråd och sydde fast huden igen. Som en bit tyg. Han fick ett bandage om huvudet som han skulle ha på sig i ett par dagar.

Nu klirrade läkarna och sjuksköterskorna med saxar och pincetter och gav instruktioner åt varandra. Tin Win förstod ingenting. De sa att de skulle återställa hans syn. Han skulle känna sig som pånyttfödd. De skulle ta bort bandaget och då skulle han kunna urskilja ljus – ett varmt, glödande ljus. Han skulle kunna urskilja former och konturer och om några dagar, när glasögonen var klara, skulle han kunna se igen. Bättre än innan han blev blind.

Tin Win visste inte om han vågade tro på dem. Inte för att han inte litade på dem eller trodde att de medvetet försökte vilseleda honom. De menade vad de sa, men det verkade som om de talade om någonting annat.

"Vad kan vara dyrbarare än våra ögon?" frågade Stuart McCrae före operationen och svarade genast själv: "Ingenting. Att se är att tro."

De betedde sig som om de tänkte befria honom ur ett fängelse och som om det bara fanns en enda sanning.

Sjuksköterskorna bad att han skulle ha tålamod, men Tin Win ville säga åt dem att de inte behövde skynda sig för hans skull. Om han var otålig så var det bara på grund av att han ville vara tillsammans med en ung kvinna som tog sig fram på alla fyra. Hon visste att man såg med mer än ögonen och att avstånd inte bara mättes i antalet steg. Men Tin Win tyckte att det var säkrast att inte säga någonting till läkarna och sjuksköterskorna.

"Så där!" McCrae tog bort bandaget. Han rullade ihop lindan och vid hans rörelser ökade spänningen alltmer i rummet. Till och med McCraes hjärta bultade en aning snabbare än vanligt.

Tin Win öppnade ögonen. Ljuset kändes som ett knytnävsslag. Ljus! Ett bländande skarpt ljus. Inte svagt och grumligt utan vitt och klart. Riktigt klart.

Ljuset gjorde ont. Det smärtade. Det brände i ögonen. Tin Win kände en skärande smärta i huvudet. Han knep ihop ögonen och drog sig tillbaka in i mörkret igen.

"Kan du se mig?" ropade hans onkel. "Ser du mig?"

Nej, det gjorde han inte. Det behövde han inte. Det räckte med att han hörde hjärtat slå. Det lät som om U Saw applåderade åt sig själv.

"Kan du se mig?" upprepade U Saw.

Tin Win kisade. Som om kisandet kunde filtrera bort smärtan från ljuset.

Som om det fanns en reträttväg.

Kapitel 4

Glasögonen passade genast, både på näsan och bakom öronen.

Det var meningen att Tin Win skulle öppna ögonen. Som om det vore så enkelt. Efter åtta år.

Han ville vänta med det tills Mi Mi satt framför honom. Han ville att hon, bara hon, skulle vara den första han fick syn på. Men han gick med på att öppna ögonen lite grann. Han kikade ut genom ögonspringorna som ur ett gömställe.

Slöjan var borta. Den grumliga grå dimman hade helt plötsligt försvunnit.

Allt han såg var skarpt och klart. Skärpan gjorde att han kände en häftig smärta i ögongloberna och över pannan hela vägen till nacken. Doktor McCrae och U Saw stod framför honom. De såg stolta och ängsliga på honom, som om de hade skapat världen på nytt bara för hans skull.

Onkelns ansikte. Ja, där var det. Han såg det.

Tin Win slöt ögonen igen. Nej, det gjorde inte ont. Nej, han var inte yr. Nej, han behövde inte ligga ner. Det var bara för mycket. Alltför mycket ljus. Alltför

många ögon som såg på honom. Alltför många förhopp-
ningar. Alltför många färger. De irriterade honom. U
Saws gräddvita tänder med bruna kanter. Silverblänket
i kromlampan på doktorns skrivbord. Hans rödaktiga
hår och ögonbryn. Sjuksköterskornas mörkröda läppar.
Tin Win hade levt i en svartvit värld. Färger gav inte
några ljud ifrån sig. De varken porlade, gnisslade eller
kväkte. Minnet av dem hade bleknat under årens lopp,
som skrivtecken på en sida.

Ville han vara vänlig och öppna ögonen igen? Tin Win
skakade på huvudet.

"Det är någonting som är på tok med honom", sa
U Saw.

"Det tror jag inte. Det beror på chocken. Han vänjer
sig."

Bägge hade rätt.

Tin Win satt på en röd tegelmur på stranden vid Ran-
goon River med hela hamnen för sina fötter.

Öppna ögonen! Han var tvungen att påminna sig själv
om det. Tio dagar fyllda med ljus. Tio dagar sprängfyllda
med bilder. Nålvassa. Mångfärgade. Han hade fortfa-
rande inte vant sig vid det.

Nedåt floden stod kala träd av stål som skramlade
fram och tillbaka på rälsen. Krokarna försvann in i
magarna på lastbåtarna för att sedan åter dyka upp,
lastade med mängder av hopbundna säckar. I går hade
de hissat ombord en elefant. Han hängde i repen på en
röd presenning och viftade med benen, lika hjälplös som
en skalbagge som hamnat på rygg. Framför magasinen
stod travar med tunnor och spjällådor med bestämmel-

seorten i svart. Calcutta. Colombo. Liverpool. Marseille. Port Said. New York.

Hundratals båtar gled omkring i hamnen. Där fanns både segelbåtar och motorbåtar. I många båtar satt en ensam roddare. En del båtar var så bräddfulla med folk, korgar och cyklar att svallvågorna stänkte rejält med vatten ombord. Uppåt floden fanns husbåtar där hela familjer hade sina hem. Tvätten hängde på tork mellan masterna, barnen skuttade omkring på däck och en gammal gubbe tog sig en tupplur i en hammock.

Tin Win betraktade fiskmåsarna som gled genom luften utan ett enda vingslag. Han hade aldrig förr sett så eleganta fåglar. Det var varmt och fuktigt trots att en lätt bris for över vattnet.

Han blundade igen. Han hörde dunket från en båtmotor. Trämaskarna i väggen på magasinet bredvid. De allt svagare hjärtslagen från en fisk i en korg vid hans fötter. Vågskvalpet mot fartygsskroven. Han hörde på tonen om båten var byggd av trä eller metall. Han kunde till och med skilja på olika sorters träplankor. De här ljuden gav ett livfullare porträtt av hamnen än han skulle ha kunnat skapa med blicken. Ögonen registrerade bilder i strida strömmar. Varenda gång hans pupiller rörde sig, varenda gång som han vred på huvudet resulterade det i nya bilder. Han såg på bilderna men blev inte engagerad. Han var bara en nyfiken iakttagare.

Han kunde fästa blicken i flera minuter åt gången på en och samma punkt. Det kunde röra sig om ett segel, ett ankare, en kutter eller en blomma i onkelns trädgård. Han brukade vidröra föremålet med blicken, förnimma känslan av det, varenda krok, vartenda hörn, varenda skugga som om han kunde ta itu det och sätta ihop det igen för att kunna se bakom ytan, bakom fasaden. Som om han kunde få det att leva. Det gick inte. Att se någonting – om det nu var en fågel, en människa eller en fiskebåt – gjorde inte just det objektet mer verkligt och inte kom det honom närmare på det viset. Bilderna för hans inre öga förvandlades till rörelse, men de förblev ändå bara bilder. Tin Win kände en märklig distans till allt han såg. Glasögonen var ett dåligt substitut för Mi Mis blick.

Tin Win klättrade ner från muren och strosade förbi hamnen. Var han otacksam? Vad hade han väntat sig? Ögonen var ju bra att ha till vardags. Han tog sig fram mycket lättare, han behövde inte oroa sig för att han skulle stöta emot stolar eller gå in i väggar eller snava på trädrötter och sovande hundar. Ögonen var verktyg som han snart skulle lära sig bemästra. De skulle göra livet tryggare, enklare och bekvämare.

Avståndet de skapade var kanske det pris som man fick betala. U May hade lärt honom att tingens innersta väsen var osynliga för ögat. Man skulle öva sig i att uppfatta ett föremåls inre egenskaper. I det fallet var ögonen mest ett hinder. De distraherade en. Vi tycker om att bli bländade. Tin Win mindes klart det som U May hade sagt.

Han gick längs floden, förbi båtar och lyftkranar. Runt omkring fanns en massa karlar som bar rissäckar från piren och in i ett magasin. De gick framåtböjda med säckarna på ryggen. De hade knutit upp sina longyis ovanför knäna. Ögonen klibbade av svett. De mörka benen var magra som stickor och musklerna spändes av tyngden vid varje steg. Männen var kulier i arbete. Inte förrän Tin Win blundade blev han berörd av det som hände. De stönade. Lågt men bedrövat. Deras magar skrek av hunger. Lungorna flämtade efter luft. Deras hjärtan var svaga och utslitna.

Då var det bevisat. Han hade sin utmärkta hörsel i behåll. Han tänkte betrakta synförmågan som ett hjälpsinne. Det skulle inte göra någon skada under förutsättning att han allvarligt begrundade U Mays varnande ord.

Tin Win vandrade vidare nedåt floden och sedan vek han om ett hörn och gick in i en gränd. Luften var outhärdligt kvav där inne. Hit nådde inte havsbrisen, här fanns inga öppna vyer som på de breda gator där européerna flanerade. De flesta av de hopträngda husen var byggda av trä. Fönstren stod på vid gavel. Det kändes som om han hade klivit ner i stadens källare. Det var smutsigt, trångt och bullrigt. Det stank svett och urin. I rännstenen låg rutten frukt, matrester, tygtrasor och papper. Överallt satt folk nedhukade på pallar och bänkar som fyllde den alltför smala trottoaren. Många av möblerna stod ute på gatan. Affärerna som bara bestod av ett våningsplan var fullproppade med varor ända upp i taket. Där fanns tygpackar, te, kryddor, grönsaker, nudlar och framför allt ris. Tin Win hade inte haft en aning om att det fanns så många slags ris och varje sort hade sin speciella doft. De som passerade förbi skrattade och pratade på ett språk som han inte förstod. Många stirrade på honom som om de ansåg att han var en inkräktare.

Tin Win funderade på om han borde vända om. Han

slöt ögonen. Det fanns inget hotfullt i de ljud som han hörde. Smöret fräste i stekpannorna. Kvinnorna knådade deg eller hackade kött och grönsaker. Barnen skrattade och skrek på övervåningen. Rösterna på gatan lät inte fientliga.

Inte heller människornas hjärtan.

Han gick vidare och fångade in ljuden, dofterna. Vyerna. Han ställde allting på rätt plats, lindade in intrycken i presentpapper och lade undan dem för att vid ett senare tillfälle dela dem med Mi Mi.

Tin Win vandrade från kineskvarteren till de indiska områdena. Människorna var längre och hade mörkare hud, men luften var inte ett dugg bättre och gatorna var även här till trängsel fyllda med folk. Han gick förbi ett rum i källarplanet. Matlukten var här mer välbekant. Curry, ingefära, citrongräs och rödpeppar. Ingen tog någon notis om honom när han gick förbi. Han kunde inte avgöra av hjärtslagen om han gick på en kinesisk eller indisk gata eller om han befann sig bland engelsmän eller burmeser. Hjärtana lät annorlunda från person till person, de avslöjade ens ungdom eller ålderdom, glädje, sorg, rädsla eller mod men det var också allt.

Som tidigare avtalat väntade chauffören på honom tidigt på kvällen i närheten av Sule-pagoden. De åkte förbi dammar och små sjöar där de mildrosa aftonmolnen speglade sig.

U Saw väntade på honom i huset. Efter operationen hade de ätit middag tillsammans varje kväll. Första gången hade Tin Win känt sig så illa till mods att han inte hade ätit en smul av riset och curryn. Han hade ursäktat sig och skyllt på värmen. U Saw lade inte märke till hans brist på aptit. Han ville veta vad Tin Win hade gjort den första dagen sedan han hade fått synen i gåva av U Saw. Vad såg du? Vart gick du?

Tin Win kände sig besvärad av frågorna. Han ville inte dela upplevelserna med U Saw. Han sparade dem ju åt Mi Mi. Men på samma gång ville han inte verka oartig eller otacksam. Han gjorde en sammanfattning i stora drag av sina intryck men berättade så kortfattat som möjligt om dem. Den femte kvällen märkte Tin Win att onkeln inte reagerade när han upprepade historierna från föregående kväll. U Saw lyssnade inte. Eller också var han inte intresserad. Förmodligen var både det ena och det andra sant. Det gjorde allting lättare. Samma frågor, samma svar. Och på det viset uppstod ett samtal kväll efter kväll som onkeln konstant avslutade efter exakt tjugo minuter om han så var mitt i en mening. När han tog sista tuggan reste han sig och meddelade att han fortfarande hade arbete kvar att utföra. Han sa god natt till Tin Win, önskade honom en trevlig morgondag och sedan försvann han.

Den här dagen var annorlunda. U Saw stod i korridoren och hälsade en gäst välkommen. De bugade flera gånger och samtalade på ett språk som Tin Win inte förstod. När onkeln fick syn på Tin Win visade han med en gest att denne skulle gå in i arbetsrummet. Tin Win satte sig längst ut på kanten av en skinnfåtölj och väntade. Det var dunkelt i rummet. Runt väggarna var böcker uppstaplade ända till taket. På ett skinnklätt skrivbord stod en fläkt som blåste varm luft. U Saw kom in i rummet några minuter senare. Han slog sig ner bakom skrivbordet och såg på Tin Win.

"Stämmer det att du gick i klosterskola i Kalaw?"

"Ja."

"Kan du räkna?"

"Ja."

"Och läsa?"

"Ja. Blindskrift. Jag brukade ..."

"Och skriva?"

"Jag kunde skriva innan jag blev blind."

"Du får snart tillbaka den färdigheten. Jag vill att du ska gå i skolan i Rangoon."

Tin Win hade hoppats att han skulle få en tågbiljett till Kalaw. Kanske inte dagen därpå, men under de närmaste dagarna. Denna förhoppning hade gett honom styrka nog att klara av de gångna dagarna och att utforska staden. Nu ville onkeln att han skulle gå i skolan i Rangoon och stanna kvar här. U Saw kom inte med ett förslag, han bara meddelade vad som skulle ske. Tin Wins respekt för den äldre släktingen hindrade honom från att göra annat än visa sig ödmjuk och tacksam. Det var bara en person här i huset som ställde frågor.

"Jag är inte värd all denna generositet, käre onkel."

"Det är inget att tala om. Jag känner rektorn för Saint Paul's High School. Du ska träffa honom tidigt i morgon. Chauffören kör dig dit. Du är egentligen för gammal, men rektorn har gått med på att pröva dig. Jag är säker på att han kan hjälpa oss." U Saw reste sig. "Nu måste jag ta hand om min gäst. I morgon kväll får du berätta för mig om skolan."

U Saw gick in i salongen där den japanske konsuln satt och väntade på honom. Han undrade i förbigående om Tin Wins tacksamhet var uppriktig. Spelade det någon roll? Astrologen hade inte gett honom något val. Det räckte inte med en storartad donation till sjukhuset i Rangoon. Han måste ta hand om en släkting och det måste handla om ett långsiktigt åtagande. Han var tvungen att ta pojken under sina vingar. Förresten, hade inte astrologens varningar och U Saws generositet redan burit frukt? Hade han inte, bara två dagar efter operationen, skrivit sitt namn på det länge eftertraktade kontraktet om försäljning av ris till ministären? Jo, minsann! Skulle inte alla brittiska garnisoner i staden snart äta hans ris? Jo, minsann! Sedan Tin Wins ankomst hade han till och med gjort häpnadsväckande framsteg i förhandlingarna om försäljningen av bomullsfälten på stränderna till Irrawaddy.

Jag har kanske fått en riktig lyckobringare i huset, tänkte U Saw. Han borde stanna i Rangoon i minst två år. U Saw kunde rentav få användning av honom i sin expanderande affärsverksamhet. Varför skulle inte Tin Win kunna bli en värdefull medarbetare? Det var inte minsta besvär att ha honom i huset. Dessutom berättade gossen ständigt nya och underhållande historier vid middagen.

Kapitel 5

Hörde du fåglarna i morse, Mi Mi? Lät de högre eller svagare än vanligt? Sjöng de annorlunda? Framförde de mitt meddelande? I går kväll vandrade jag runt i trädgården och berättade viskande allt för dem och de lovade att föra orden vidare från buske till buske och från träd till träd hela långa natten, över deltat, uppför Sittang och vidare upp bland bergen ända till Kalaw. Fåglarna sa att de skulle sätta sig i träden framför ditt hus och berätta allt för dig.

Hur är det med dig, Mi Mi? Jag hoppas innerligt att allt är väl med dig. Jag fantiserar ofta om dig där du håller på med ditt dagliga id. Jag ser att du sitter på marknaden, blir buren genom Kalaw av dina bröder eller lagar mat hemma i köket. Jag hör att du skrattar och jag hör hur ditt hjärta slår, det underbaraste ljud jag någonsin hört. Jag ser att du lider men du är inte modfälld. Jag ser att du är ledsen men du känner även glädje och lycka. Jag hoppas att jag inte lurar mig själv. Någonting inombords säger mig att du känner det precis som jag.

Bli inte arg, men jag måste sluta nu. Hla Taw väntar. Han tar med mina brev till postkontoret varje morgon och jag vill inte att en enda dag ska gå utan att du hör ifrån mig. Hälsa så gott till Su Kyi och dina föräldrar och bröder. Jag tänker ofta på dem.

Kramar och kyssar från den som älskar dig över allt annat

Tin Win

Älskade Mi Mi!

När jag om natten betraktar himlen över Rangoon ser jag tusentals stjärnor och tröstas vid tanken på att detta är en upplevelse som vi kan dela om kvällarna. Vi ser samma stjärnor. Jag föreställer mig att varenda kyss som vi har gett varandra har förvandlats till en stjärna. Nu vakar de över oss i höjden. De lyser upp min stig genom mörkret. Och du är den klarast lysande av alla planeter, min sol …

U Saw läste inte vidare. Han skakade på huvudet, lade ifrån sig brevet och tog fram en handfull nya brev i högen framför sig.

Älskade Mi Mi!

Varför står tiden stilla när du inte är hos mig? Dagarna är oändliga. Till och med nätterna har sammansvurit sig mot mig. Jag kan inte sova. Jag ligger vaken och räknar timmarna. Det känns

som om jag långsamt håller på att glömma kon-
sten att lyssna. Nu när jag kan se med ögonen
igen börjar hörseln förlora sin skärpa.

Byta hörseln mot synen? Vilken motbjudande
tanke. Det vore ett uselt byte. Jag litar mer på
öronen än på ögonen. Fortfarande känns ögo-
nen främmande. Jag är kanske besviken på dem.
Jag har aldrig sett världen lika livligt och klart,
lika vackert och intensivt genom mina ögon som
genom dina. I mina ögon är halvmånen bara en
halvmåne och inte en melon som du har ätit hälf-
ten av. I mina ögon är en sten bara en sten och
inte en förtrollad fisk och på himlen finns det inte
någon vattenbuffel, inga hjärtan, inga blommor.
Bara moln.

Men jag ska inte klaga. U Saw är snäll mot mig.
Jag koncentrerar mig på skolarbetet och tror att
jag kan vara hos dig igen i slutet av skolåret.

Kom ihåg att hälsa till Su Kyi, denna goda
människa. Jag skickar kyssar och kramar

Din för evigt

Tin Win

Älskade Mi Mi!

Nu är det sju månader sedan U Saw skickade
mig till skolan. I går flyttades jag för tredje gång-
en till en högre klass. De sa att jag nu har kommit
till den klass där jag bör vara med tanke på min
ålder. Ingen kan begripa att en blind pojke i en
klosterskola i Kalaw kan ha lärt sig så mycket.
De kände inte U May.

Älskade Mi Mi!

Jag ber om ursäkt för att mina brev har varit så melankoliska de senaste veckorna. Jag vill inte betunga dig med all min längtan. Snälla du, oroa dig inte för mig. Ibland är det helt enkelt så att det känns svårt för mig att inte veta hur länge till jag måste vara stark innan jag äntligen får träffa dig igen. Men det är inte längtan eller fruktan som jag känner när jag tänker på dig. Det är gränslös tacksamhet. Du öppnade världen åt mig och du har blivit en del av mig. Jag ser världen genom dina ögon. Du hjälpte mig att få bukt med rädslan. Med din hjälp lärde jag mig att ta itu med den. Jag blir inte längre utmattad av en mängd fantasifoster. De blev mindre varje gång du rörde vid mig, varje timme som jag hade privilegiet att känna din kropp mot ryggen, dina bröst mot huden, din andedräkt mot halsen. De blev kuvade och försvagade. Jag vågar se dem i ögonen. Du har befriat mig. Jag är din.

Med kärlek och tacksamhet
Tin Win

U Saw vek ihop breven. Han hade läst tillräckligt. Var slutar kärleken och var tar galenskapen vid? frågade han sig när han stoppade tillbaka pappersarken i kuverten.

Varför fortsatte Tin Win att skriva om den tacksamhet och beundran som han kände för den här kvinnan? U Saw funderade en lång stund, men kunde inte komma på en enda människa som han beundrade speciellt mycket. Han respekterade förvisso några av rismagnaterna, särskilt de som var mer framgångsrika än han själv. Han hyste också respekt för några engelsmän, men den hade minskat på sistone. Och tacksamhet? Han kände inte någon som han var tack skyldig. Han hade varit tacksam mot sin hustru när hon höll tyst så pass länge att han kunde äta middag i lugn och ro.

U Saw kastade en blick på brevhögen som låg framför honom på skrivbordet. Tin Win hade skrivit ett brev om dagen till den här Mi Mi i Kalaw under det gångna året. Ett helt år. Varje dag. Utan uppehåll. Och trots det faktum att han inte hade fått ett enda svar. Självfallet plockade U Saw dagligen bort breven från Mi Mi som kom med eftermiddagsposten. De hörde och läste inte ett ljud från varandra, men ändå fortsatte de att skriva brev. U Saw skrattade högt åt all denna galenskap. Han försökte behärska sig, men fortsatte gapskratta tills han började frusta, var nära att kvävas, hostade och flämtade efter luft. När han hade lugnat ner sig lade han tillbaka breven i översta lådan och drog ut den nedersta, där han hade lagt Mi Mis brev, som hade förblivit olästa tills nu. Han valde ut några brev på måfå.

... Hoppas att du har fått tag i någon som kan läsa upp mina brev för dig. I går kom mor och satte sig bredvid mig på verandan. Hon tog mina händer i sina, såg på mig och frågade om jag mådde bra. Hon såg ut som om hon tänkte berätta om sin egen nära förestående bortgång. Jag sa tack, jag mår bara bra till mor. Hon ville veta hur jag klarade mig utan dig. Tin Win har ju redan varit borta mer än en månad. Jag försökte förklara att jag inte är utan dig, att du är med mig från den stund jag vaknar till den stund jag somnar, att det är dig jag känner när vinden smeker mig, att det är din röst som jag hör i tystnaden, att det är dig jag ser när jag blundar, att det är du som får mig att skratta och sjunga när jag vet att ingen annan är i närheten. Jag har sett medlidandet i hennes ögon och därför sa jag ingenting. Det var ett missförstånd av det slaget där ord inte tjänar någonting till.

Alla i familjen vakar över mig, men det är bara rart. Mina bröder frågar ständigt om jag vill bege mig någonstans och de bär mig kors och tvärs i Kalaw. Jag tänker på dig och nynnar för mig själv där jag sitter på ryggen. De tycker att det är besynnerligt och ibland rentav störande att jag är glad. Hur ska jag kunna förklara för dem att det som du betyder för mig, det som du ger mig, inte är beroende av var du befinner dig här i världen? Att man inte behöver känna den andres hand för att ha kontakt?

Vi hälsade på Su Kyi i går. Hon mår bra. Hon skulle bli glad om du skickade ett par rader till henne. Jag har sagt till henne att vi kommer att höra från dig, vi kommer att träffa dig igen, när tiden är inne. Men du känner ju henne. Hon är orolig ...

Min stora starka, min lilla älskade Tin Win!

För några veckor sedan började jag rulla cigarrer. Mor tyckte att jag borde lära mig ett hant-

verk så att jag kan tjäna pengar så småningom
och klara mig själv. Jag har en känsla av att hon
inte tror att du kommer tillbaka. Men det säger
hon inte. Varken mor eller far mår vidare bra.
De har ont i ryggen och i benen och far har allt
svårare att andas. Han arbetar knappt något på
åkern längre. Hans hörsel har också blivit sämre.
Det är rörande att se att de håller på att bli gam-
la. De är en bra bit över femtio och så gamla är
det inte många som blir i Kalaw. Mina föräldrar
har tur. De får till och med åldras tillsammans.
Vilken gåva! Om jag finge önska mig något så
vore det att vi hade lika stor tur som de. Jag vill
bli gammal tillsammans med dig. Det drömmer
jag om medan jag rullar cigarrer. Jag drömmer
om dig och om vårt gemensamma liv.

Arbetet är mycket enklare än jag trodde. Flera
gånger i veckan kommer en man från staden med
en hög torkade thanatblad, gamla tidningar och
majshylsor (jag använder dem som filter) och
en påse tobaksblandning. Varenda eftermiddag
sitter jag ett par timmar på verandan, lägger en
handfull tobak i ett blad, trycker till det en smula
och rullar det av och an mellan handflatorna tills
cigarren är fast men inte alltför hård, sticker in
filtret, viker ihop bladet och skär av änden. Man-
nen säger att han aldrig förr har sett en kvinna
som kan rulla cigarrer så snabbt och skickligt
som jag. Hans kunder är riktigt entusiastiska och
de påstår att mina cigarrer har en särskild arom
som skiljer dem från andra kvinnors cigarrer. Om

de fortsätter att sälja lika bra behöver vi inte oroa oss för framtiden.

Det började nyss regna. Skyfall ger mig gåshud numera …

Min söta lilla Tiger!

För några veckor sedan hittade jag den här döda fjärilen på verandan. Jag har pressat den. Det är en sådan fjäril vars vingslag du tyckte allra mest om. Du sa en gång att det påminde om mina hjärtslag. Ingenting lät vackrare …

U Saw slängde ifrån sig brevet. Han reste sig och gick fram till fönstret. Det regnade. Ovanpå vattenpölarna bildade dropparna stora bubblor som snart gick sönder.

Tin Win och Mi Mi var helt förryckta. Inte ett bittert ord trots att det hade gått ett helt år under tystnad. Inte skymten till anklagelser. Varför skriver du inte till mig? Var är dina svar? Jag skriver varenda dag, hur är det med dig? Älskar du mig inte längre? Har du träffat någon annan?

U Saw gladde sig över att kärlek inte smittar. Annars hade han blivit tvungen att säga upp alla tjänare och noggrant sanera villan och trädgården. Tänk om han hade blivit smittad, tänk om han hade fallit för en av de kvinnliga tjänarna. Han föredrog att inte reflektera närmare över detta.

U Saw funderade en stund på om breven påverkade hans planer på något vis. Han var övertygad om att deras förälskelse skulle gå över. Inga känslor var starka nog att stå emot tidens tand. Med tanke på avståndet och tidens gång skulle även denna kärlek så småningom ebba ut.

I alla andra avseenden hade Tin Win visat sig vara utomordentligt kompetent och till stor nytta. Det verkade som om han hade lyckats förhindra den katastrof som astrologen hade förebådat. Affärerna gick bättre än någonsin, trots att affärsklimatet i allmänhet hade försämrats. Till råga på allt ansåg lärarna på Saint Paul's High School – som råkade vara den högst ansedda skolan i Burma – att Tin Win var osedvanligt begåvad. Alla förutspådde en lysande framtid för honom. När han om ett år hade tagit sin examen skulle han bli antagen vid alla universitet i England och han skulle med all säkerhet få stipendium, trodde rektorn. Landet skulle med tiden behöva infödda begåvningar.

U Saw hade blivit smickrad, men kriget i Europa oroade honom. Det skulle säkert trappas upp. Japanerna ryckte fram i Asien och det kunde bara röra sig om några månader, kanske veckor, tills de skulle gå till attack mot den brittiska koloniala ministären. Hur länge skulle engelsmännen sedan kunna göra motstånd mot tyskarna i Europa? Enligt hans åsikt var det bara en tidsfråga innan den tyska flaggan skulle fladdra ovanpå Big Ben. Den epok då London var hela världens huvudstad närmade sig oundvikligen sitt slut.

U Saw hade andra planer.

Kapitel 6

Tin Win hade trott att det skulle vara riktig feststämning när ett ångfartyg med passagerare ombord skulle avgå. Manskapet skulle ha vita uniformer, man skulle spela sprittande musik, vimplar och standar skulle fladdra i vinden och kaptenen skulle säga några ord. Men så var det inte alls. Sjömännen gick förbi honom i oljefläckade uniformer. Det fanns inte någon orkester, inga serpentiner, inte någon konfetti. Han lutade sig mot relingen och såg ner på kajen. I skuggan av ett magasin stod en hästkärra och några rikshor vars förare låg och sov i sina fordon. Landgången hade dragits upp för länge sedan. Några uniformerade herrar från hamnmyndigheten stod fortfarande och väntade vid fartyget. En del av passagerarna hade släktingar på kajen som betraktade det svarta fartygsskrovet och vinkade och sträckte på halsarna som fågelungar. Tin Win såg inte några bekanta. Hla Taw hade stannat hemma på order av U Saw. En chaufför körde Tin Win till hamnen. Två bärare tog hand om hans bagage och bar ombord det åt honom. De hade gått för länge sedan.

Tin Win hade ätit middag med U Saw föregående

kväll och sedan hade U Saw gett honom resehandling-
arna. Passet med visumet till USA. En biljett för resan till
Liverpool, en annan för färden över Atlanten. Ett brev
till hans affärskompanjon, en indisk risimportör i New
York, som skulle ta hand om Tin Win under de första
månaderna efter hans ankomst till landet. Ett kuvert
med pengar. Än en gång hade U Saw förklarat vad han
förväntade sig. Minst sex brev om året med detaljerade
redogörelser. En collegeexamen med högsta betyg. Han
hade i detalj berättat om den framtid som väntade Tin
Win när han kom tillbaka. Han skulle bli direktör och
så småningom kompanjon i företaget. Han skulle bli en
av de mest inflytelserika männen i staden. Han skulle
inte komma att sakna någonting.

U Saw önskade honom all lycka, både på resan och
med studierna. Sedan vände han på klacken och gick in
i sitt arbetsrum. De hade ingen fysisk kontakt. De skulle
aldrig mer träffa varandra.

Tin Win såg efter U Saw när han gick och undrade hur
lång tid det tog för ett ungt träd att bilda rötter efter att
det hade planterats om. Några månader? Ett år? Två?
Tre? Vid det här laget hade han bott i Rangoon i två
år och han hade känt sig bortkommen hela tiden. Han
förblev en främling i staden. Ett träd som kunde ryckas
upp med rötterna av en vindpust.

I skolan respekterade lärarna honom för hans fram-
steg i studierna. Kamraterna uppskattade hans hjälp-
samhet. Men några vänner hade han inte. Det fanns
ingen som höll Tin Win kvar i Rangoon.

Han såg ut över hamnen och staden. Guldspiran
på Shwedagonpagoden i fjärran glimmade i den sena

eftermiddagssolen. Himlen var blå och utan ett moln. Under de senaste veckorna innan avfärden hade Tin Win tillbringat många kvällar med att ströva omkring i staden. Under vägen hade han fått höra alla rykten som for fram genom staden som en gräshoppssvärm på ett risfält. Man sänkte rösten vid soppställena och levererade ett nytt rykte. Det verkade som om folk levde på skvaller och inget annat. Enligt en teori drog det ihop sig till århundradets värsta tyfon i Bengaliska viken. En tiger hade simmat över hamnbassängen och sedan frossat på en familj på fem personer plus deras tama svin. Vilket till råga på allt, som om det som hade hänt inte var tillräckligt sorgligt som det var, var ett pålitligt tecken på en nära förestående jordbävning, vilket alla med minsta tilltro till spåmän kände till. Det påstods att tyska krigsfartyg blockerade engelska hamnar och vad värre var, att japanerna gjorde sig redo att anfalla Burma. Stjärnorna var inte välvilliga mot engelsmännen vare sig i Europa eller i Asien. Om invasionen skedde på en onsdag eller en söndag vore Burma i stort sett förlorat redan på förhand.

Tin Win noterade dessa rykten och bidrog även efter ringa förmåga till att de spreds vidare. Inte för att han satte någon tilltro till dem utan snarare av en känsla att det var hans medborgerliga plikt. Pladdret betydde ingenting för honom. Visserligen skulle han under resans gång färdas över Bengaliska viken och komma till engelska hamnar, men han var inte rädd vare sig för jordbävningar, japaner, tyfoner eller tyska ubåtar.

Rädslan hade försvunnit efterhand. Tin Win visste inte när eller hur det hade börjat. Det var en lång process. En mango mognar inte över en natt. Han hade lagt märke till det för första gången under en av dessa outhärdligt varma sommardagar. Han satt badande i svett i parken vid Royal Lake. Ett par duvor slog sig ner framför honom med indragna huvuden, alltför utmattade för att näbbas och kuttra. Han såg ut över sjön och drömde om Mi Mi. För första gången uppväckte inte tanken på henne den där förlamande, förtärande längtan som sög musten ur honom. Ingen rädsla. Inte ens sorg. Han älskade Mi Mi mer än någonsin, men kärleken uppslukade honom inte. Den band honom varken till sängen eller till en trädstubbe längre.

När det började ösregna blundade han. Det blev en kort men intensiv skur. När han öppnade ögonen hade det blivit skymning. Han rätade på ryggen, gick några steg och kände i hela kroppen att någonting hade förändrats. En tyngd hade fallit från hans axlar. Han var fri. Han förväntade sig inte någonting mer av livet. Inte för att han hade blivit bitter och besviken. Nej, han förväntade sig inte något eftersom det inte fanns någonting viktigt som han inte redan hade upplevt. Han ägde all den lycka en människa kan få. Han älskade och var älskad villkorslöst. Han sa några ord med låg stämma utan att knappt röra läpparna.

Han skulle älska Mi Mi så länge han andades och han skulle bli älskad tillbaka av henne. Även om hon bodde två dagsresor bort. Även om hon inte svarade på hans brev och även om han hade gett upp hoppet om att få träffa henne igen under de närmaste åren. Han skulle leva varje dag som om han hade vaknat bredvid henne och han skulle somna vid hennes sida.

"Gör loss!" Orden från en ung officer på bryggan ryckte Tin Win ur hans drömmerier.

"Gör loss!" upprepade två män på piren. Med ett plask föll trossarna i vattnet. Svart rök bolmade ur skorstenarna. Hela skrovet vibrerade. Signalen från fartygssirenen var dov och genomträngande. Tin Win vände sig om. En äldre herre bredvid honom kastade en blick på Rangoon och lyfte på hatten med en melankolisk glimt i ögonen. Det var som om han tog farväl av mer än bara en stad full med folk. Bakom honom stod två unga engelska damer och grät och viftade med sina vita näsdukar.

Kapitel 7

Nu märkte jag att trötheten hade dragit sin slöja över U Bas ansikte medan han talade. Rynkorna hade fördjupats runt munnen och i pannan. Kinderna såg insjunkna ut. U Ba satt blickstilla och såg rätt igenom mig.

Jag väntade.

Efter några minuters tystnad stack han handen i fickan och tog utan några kommentarer fram ett nött kuvert.

Det var skrynkligt och trasigt och hade uppenbarligen blivit öppnat och tillslutet många gånger. Det var poststämplat i Rangoon och adresserat till Mi Mi. Adressen hade bleknat en smula, men det blå bläcket var fortfarande tydligt och de stora bokstäverna och den extravaganta handstilen var fortfarande fullt läsbara.

På baksidan av kuvertet stod avsändarens adress: Halpin Road 7, Rangoon.

Det kunde omöjligt vara pappas handstil. Jag öppnade kuvertet.

Rangoon 14 december 1941

Kära Mi Mi!

Min brorson Tin Win bad att jag skulle tala om
för dig att han lämnade landet för några dagar
sedan. Just nu, medan jag skriver detta, är han på
väg till Amerika där han efter ankomsten till New
York ska skriva in sig vid den juridiska fakulteten.
Eftersom han hade fullt upp med förberedelser
inför resan under veckorna före avfärden är det
inte att undra på att han ansåg det omöjligt att
hinna ta kontakt personligen med dig eller att
skriva några rader. Jag är övertygad om att du
förstår detta. Han bad mig att framföra ett varmt
tack för de otaliga brev som du har skrivit till
honom under de senaste två åren. På grund av sina
förpliktelser både i fråga om studierna och i pri-
vatlivet hade han tyvärr inte tid att besvara dem.

Eftersom han inte tänker komma tillbaka för-
rän han har kompletterat sin examen om några
år ber han att du hädanefter avstår från all ytter-
ligare korrespondens.

Han önskar dig allt gott.
Bästa hälsningar
U Saw

Jag läste om brevet några gånger. U Ba såg förväntans-
fullt på mig. Nu verkade han pigg och avspänd igen. Det
verkade som om minnena bara tillfälligt hade kastat sin

skugga över hans ansikte.

Jag visste inte vad jag skulle säga. Mi Mi måste ha blivit djupt sårad när hon läste brevet. Tänk vad hon måste ha känt sig bedragen och övergiven! Hon hade inte hört ett ljud från pappa på över två år. Själv hade hon skrivit hundratals brev, men de här raderna var det enda svar hon fick. Där satt hon och rullade cigarrer i Kalaw och drömde om pappa och ett liv tillsammans med honom utan att ens veta om hon någonsin skulle få träffa honom igen. Hon var ju beroende av bröderna som inte riktigt förstod henne. Mi Mis ensamhet gjorde mig bedrövad. Det var första gången jag kände något för henne över huvud taget.

När jag började min resa var hon bara ett namn, en första anhalt i sökandet efter pappa och ingenting annat. Med tiden hade hon fått både kropp och ansikte. Hon var handikappad och hon hade stulit pappa från mig. Och nu då? Hon hade blivit lurad och bedragen. U Saws brev gjorde mig rosenrasande.

"Hur reagerade hon när hon fick brevet?" frågade jag.

U Ba tog fram ännu ett kuvert ur fickan, ännu skrynkligare än det första. Det var poststämplat i Kalaw 26 december 1941.

Till U Saw, Halphin Road 7, Rangoon.
Från: Mi Mi

Bäste U Saw!

Stort tack för att ni gjorde er besvär och skrev till mig. Jag är överväldigad av all möda som ni har lagt ner för min ringa person. Inte hade ni behövt göra er så stort besvär.

Ert brev fyllde mig med en obeskrivlig glädje. Tin Win är på väg till Amerika! Han mår bra. Ni kunde inte ha kommit med mer glädjande nyheter än dessa. Trots alla sina åtaganden och de krävande förberedelserna inför resan tog han sig tid att be er om att ni skulle skriva till mig. Om ni bara visste hur glad jag blir! Än en gång vill jag att ni ska veta att jag är så tacksam över att ni biföll hans önskan.

Jag kommer självfallet att göra precis som han önskar.

Med djupaste respekt

Mi Mi

U Ba vek ihop brevet och stoppade ner det i kuvertet. Vi log mot varandra. Jag hade underskattat henne. Jag hade betraktat henne som ett hjälplöst offer som inte hade makt att försvara sig mot U Saws ränker. Men hon var starkare och mer skarpsinnig än jag hade trott. Trots detta tyckte jag fortfarande synd om henne. Så ensam hon måste ha känt sig. Hur skulle hon klara sig utan Tin Win? Ja, hur överlevde hon den långa skilsmässan från pappa?

"Det var inte lätt i början", sa U Ba utan att jag hade frågat något. "Hennes föräldrar dog året därpå. Först dog hennes far och två månader senare avled hennes mor. Hennes yngste bror gick med i frihetsrörelsen och hamnade så småningom som stridande gerillasoldat i djungeln. Hon såg honom aldrig mer. Det påstods att japanerna torterade honom till döds. Hennes äldste brors familj omkom i en engelsk flygräd 1945. Tiderna var svåra. Men ändå – det gör mig nästan mållös, Julia – ändå blev hon vackrare för varje år som gick. Hon sörjde utan tvivel sina anhöriga. Hon längtade efter Tin Win, men hon led inte av brustet hjärta. Den smärtan präglar ens ansikte för alltid, men det upplevde aldrig Mi Mi. Hennes ansiktsdrag blev aldrig hårda, inte ens när hon blev gammal. Det är kanske svårt att förstå, Julia, men fysisk närhet eller avstånd var ovidkommande för hennes del. Jag har ofta funderat på vari hennes skönhet och utstrålning egentligen bestod. Det är inte storleken på näsan, hudfärgen eller formen på läpparna och ögonen som gör en människa vacker eller ful. Men vad är det då? Kan du som kvinna berätta det för mig?"

Jag skakade på huvudet.

"Då ska jag tala om det för dig. Det är kärleken. Kärleken gör oss vackra. Känner du en enda människa som älskar och är älskad, som är villkorslöst älskad, och som på samma gång är ful? Det finns ingen anledning att fundera över den frågan. Sådana människor finns inte." Han hällde upp te och tog en klunk.

"Jag tror inte att det fanns en enda karl i hela Kalaw på den tiden som inte skulle ha velat ha Mi Mi till hustru. Jag överdriver inte. Efter kriget kom det friare från alla hörn av Shan och flera av dem var visst från Rangoon och Mandalay. Så långt hade beskrivningarna av hennes skönhet spritt sig. De hade dyrbara gåvor med sig. Smycken av silver och guld, ädelstenar och kostbara tyger som Mi Mi så småningom delade ut bland byborna. Hon tackade nej till alla frierier. Till och med när åren gick och Tin Win hade varit borta i tio, tjugo, trettio år. Det fanns män som var beredda att dö i hopp om att återfödas som något av hennes djur – ett svin, en kyckling eller en hund.

Mi Mi bodde kvar i barndomshemmet tillsammans med några släktingar som tog hand om henne. Hon skötte djuren: kycklingarna, de två grisarna, hunden och den utmärglade gamla vattenbuffeln. Det var inte ofta som hon lämnade hemmet. På eftermiddagarna satt hon på verandan och rullade cigarrer och vaggade stilla av och an med slutna ögon. Läpparna rörde sig som om hon berättade en saga. Den som hade förmånen att få se henne under arbetet glömde aldrig hennes graciösa rörelser.

Det stämde att hennes cigarrer hade en alldeles speciell arom. De var sötare, med en aning vanilj som dröjde kvar i munnen. Några år efter självständighetsdagen ryktades det att hennes cigarrer även ägde övernaturliga krafter. Det gör inte dig förvånad, Julia. Du har ju märkt hur vidskepliga vi burmeser är.

En kväll rökte en änkling en av Mi Mis cigarrer. På natten visade sig hans döda hustru för honom och gav sin välsignelse till det äktenskap med grannens dotter som han länge hade drömt om att få till stånd. Hittills hade flickan i fråga sorgfälligt avvisat alla hans närmanden, men när han slog sig ner på hennes veranda morgonen därpå för att sjunga serenader för henne precis som han hade gjort i många långa dagar, kom hon ut och satte sig bredvid honom och tillbringade hela dagen och kvällen i hans sällskap. Mannen blev överlycklig och rökte ännu en av Mi Mis cigarrer kvällen därpå och fick då skåda sin hustrus ansikte som log uppmuntrande mot honom genom den ringlande röken. Även nästa morgon satte sig den unga kvinnan bredvid honom och en vecka senare tackade hon ja till hans frieri. Änklingen hävdade att han hade Mi Mis cigarrer att tacka för sin lycka och framgång och efter det fanns det inte en enda karl i Kalaw som inte rökte minst en av hennes cigarrer innan han tog en promenad med sin hjärtans kär. Cigarrerna blev snart använda som botemedel vid alla möjliga slags krämpor och då framför allt vid håravfall, förstoppning, diarré, huvudvärk, magsmärtor ja, vid alla sorters åkommor.

Under årens lopp blev Mi Mi något av en klok gumma i Kalaw och bemöttes med större respekt än borgmästaren, astrologerna och medicinmännen tillsammans. Människor som föraktade astrologer rådfrågade henne när de skulle lösa konflikter mellan äkta makar, syskon och grannar."

U Ba reste sig, vek noga ihop kuverten och stoppade in dem innanför linningen på sin longyi. Hur hade han fått tag i breven? Var hade han hört talas om innehållet i korrespondensen mellan Mi Mi och Tin Win? Det kunde inte vara från pappa, som uppenbarligen inte visste någonting om Mi Mis brev. Det fanns många enskildheter i U Bas livfulla framställning av händelserna som pappa inte kunde ha bidragit med.

"Har du något emot att jag ställer en fråga?" sa jag.

Han väntade.

"Vem berättade om Mi Mi och Tin Win för dig med sådan detaljrikedom och noggrannhet?"

"Det gjorde din far."

"Han kan inte ha varit den ende. Du beskriver så

många intryck och känslor som pappa inte kunde ha känt till."

"När du har hört slutet på historien kommer du inte att ha något mer att fråga om."

"Var fick du tag i breven?" envisades jag.

"Jag fick dem av Su Kyi. U Saw kom på besök till Kalaw i början av femtiotalet. Lyckan vände för honom efter kriget. Eller borde jag säga att hans framgång tog slut, vilket inte är riktigt samma sak. Under ockupationen hade han samarbetat med japanerna vilket inte gjorde honom särskilt populär vare sig hos engelsmännen eller den burmesiska frihetsrörelsen. När britterna hade återtagit makten blev ett par av hans risfabriker lågornas rov. Orsaken till bränderna kunde aldrig fastställas. Under åren som följde efter att landet hade blivit självständigt skedde många lönnmord och oräkneliga våldsdåd som ett resultat av de olika politiska fraktionerna. Oftast befann sig U Saw bland förlorarna och den omständigheten ledde till att han blev av med större delen av sin förmögenhet. Efter vad som påstås försökte han köpa sig en ministerpost. Han kom vid två tillfällen på några dagars besök i Kalaw. Vi misstänkte att marken hade börjat brännas i huvudstaden. Bägge gångerna hade han med sig en massa bagage, som till största delen bestod av dokument, broschyrer och mappar som han lämnade kvar i huset. Han överlevde inte sitt tredje besök. Su Kyi hittade breven bland hans tillhörigheter."

"Hur dog han? Blev han mördad?"

"Vissa som kände honom påstår det så här i efterhand. Han träffades av blixten när han spelade golf."

"Kände du honom personligen?"

"Jag träffade honom en gång som hastigast i Rangoon."

"Har du varit i Rangoon?"

"Jag gick i skolan där ett tag. Jag var en mycket duktig elev. En god vän till familjen var generös nog att bekosta terminsavgifterna vid Saint Paul's High School under några år. Jag fick till och med ett stipendium för att läsa fysik vid ett universitet i Storbritannien. Jag hade en viss fallenhet för naturvetenskap."

"Har du studerat i England?"

"Nej, jag blev tvungen att åka tillbaka till Kalaw."

"Varför det?"

"Min mor blev sjuk."

"Var det allvarligt?"

"Hon var gammal. Hon hade inte ont, men vardagslivet blev allt svårare för henne."

"Har du inte några syskon?"

"Nej."

"Fanns det inte några andra släktingar?"

"Jodå."

Jag skakade förbryllad på huvudet. "Varför tog inte de hand om din mamma?"

"Det var mitt ansvar. Jag var hennes son."

"Men U Ba! Din mamma var inte allvarligt sjuk. Du kunde ha tagit henne till England när du blev klar med din examen."

"Mor behövde min hjälp med en gång."

"Var hon handikappad?"

"Nej. Hur kommer det sig att du sa så?"

Vi talade förbi varandra hela tiden. Jag blev alltmer upprörd för varje svar och samtidigt stod det klart att jag inte skulle komma någonvart om jag fortsatte med utfrågningen.

"Hur länge tog du hand om din mamma?"

"I trettio år."

"Vad?"

"I trettio år", upprepade han. "Hon blev mycket gammal med burmesiska mått."

Jag gjorde en överslagsberäkning. "Mellan tjugo och femtio års ålder ägnade du dig bara åt att ta hand om din mor?"

"Jag hade fullt upp."

"Jag menar inte att du latade dig. Men du skulle ju studera i England. Hela världen hade stått öppen för dig."

Nu var det han som inte förstod mig.

"Du kunde ha forskat i fysik. Med lite tur kunde du ha fått en tjänst i Amerika." Varför var jag så upprörd?

"Jag är nöjd med livet, Julia. Min hustru, som jag älskade ömt, dog i unga år. Men det kunde ha hänt mig var som helst i världen."

Vi hittade inte någon gemensam plattform. Förstod han verkligen inte vad jag menade? Ju mer jag frågade, desto mer gled vi isär. Jag blev rasande och han förblev lugn. Precis som om det var jag som hade slösat bort livet.

"Har du aldrig ångrat att du kom tillbaka till Kalaw?"

"Jag kan bara ångra sådana beslut som jag har fattat medvetet och av egen fri vilja. Beklagar du att du skriver med vänster hand? Det jag gjorde var så självklart. Varenda burmes i min situation skulle ha gjort detsamma."

"Varför åkte du inte tillbaka till Rangoon när din mor

hade dött? Du hade kanske fortfarande haft möjlighet att emigrera till England."

"Varför? Måste man ha sett sig omkring i världen? Här i byn, i vartenda hus och i vartenda skjul, hittar man alla slags mänskliga känslor: kärlek, hat, rädsla, svartsjuka, avund och glädje. Man behöver inte söka efter dem."

Jag såg på U Ba och blev rörd vid anblicken: en kortvuxen man, klädd i trasor, med små tandstumpar, som med en smula tur hade kunnat bli professor med en luxuös våning på Manhattan eller ett tjusigt hus i en förort till London. Vem av oss hade förlorat perspektivet? Var det jag med mina krav eller han med sin anspråkslöshet? Jag visste inte riktigt vad jag hyste för känslor för honom. Det var inte medlidande utan en märklig ömhet. Jag ville beskydda honom trots att jag mycket väl förstod att han inte behövde mitt stöd. Samtidigt kände jag mig trygg, närmast avspänd, i hans sällskap. Det var som om han skyddade mig från något. Jag litade på honom. Hittills hade jag trott att man måste känna någon väl för att tycka om den personen och känna att man står honom eller henne nära.

Kapitel 8

Pappa och jag står på Brooklyn Bridge i New York. Jag är åtta nio år. Det är en höstdag med en frisk vind som redan bär spår av vinterns kyla. Jag är för lättklädd och jag fryser. Pappa lägger kavajen om mina axlar och jag tar på mig den. Ärmarna är alldeles för långa. Jag drunknar i den men den värmer. Genom springorna mellan plankorna under mina fötter ser jag solstrålarna som dansar på ytan av East River långt nedanför. Skulle pappa kunna rädda mig om bron brast just nu? Jag gör en bedömning av hur långt det är till stranden. Pappa simmar bra och jag hyser inte minsta tvivel om att han skulle klara det. Jag vet inte hur många gånger vi stod där på bron på det viset, ofta utan att säga ett ord.

Pappa älskade de områden i New York som egentligen bara är av intresse för turister, som Circle Line-färjorna som far i en båge runt Manhattan, Empire State Building, Frihetsgudinnan och alla broar. Som om han bara var på genomresa. Han tyckte allra mest om färjan som går till Staten Island. Efter att ha arbetat hårt hela dagen gick han ibland ner till piren bara för att ta en åktur fram och tillbaka. Jag minns en gång då vi stod vid relingen, alldeles ovanför bilarna, och pappa sa att han inte kunde begripa att hamnen och stadens silhuett hade förändrats så till den grad. När han blundade kunde han fortfarande se samma vy som den bitande kalla januarimorgonen 1942, när vinden var så isande att knappt någon förutom han själv stod ut med att vara på däck.

På den tiden förstod jag inte vad pappa såg hos de platser som de flesta New Yorkbor undvek utom när de fick gäster som aldrig förr hade varit i staden. När jag blev äldre tyckte jag att det var långtråkigt. Som tonåring tyckte jag att det var pinsamt och då ville jag inte följa med honom längre. Nu tror jag att det var bland turisterna som han hittade det avstånd som han behövde ha mellan sig själv och staden, den stad som han aldrig riktigt blev en del av. Jag misstänker att de här platserna blev hans tillflykt när han var utom sig av hemlängtan. Var det där han kände sig närmast Mi Mi? Såg han sig själv lämna New York med båt eller med flyg? Drömde han om detta?

U Ba och jag vandrade uppför stigen mot bergets topp. Det var sent på eftermiddagen. De första eldarna brann redan framför de små husen och vinden svepte röken över gårdarna. Vid det här laget hade jag blivit van vid lukten av brinnande ved på kvällarna.

Jag visste inte vart vi var på väg. U Ba hade sagt att det bara fanns en plats där han kunde avsluta sin berättelse. Han hade rest sig, stoppat ner termosen och glasen i väskan, burit tillbaka bänken och vinkat åt mig att jag skulle följa med. Han såg på klockan och dröjde på stegen, som om vi kom för tidigt till ett möte.

Jag var nervös.

"Jag har inte mycket mer att berätta", sa U Ba och stod stilla en stund på stället. "Du vet mer än jag om hans tid i Amerika."

Där kom den igen, den där frågan som jag hade försökt förtränga de senaste två dagarna, nämligen: Vad visste jag egentligen?

Jag hade många vackra och kärleksfulla minnen som jag var tacksam över, men vad tjänade de till när det handlade om att förstå pappa? De var världen sedd genom ett barns ögon. De kunde inte svara på frågorna som for genom mitt huvud. Varför åkte inte pappa tillbaka till Kalaw efter kriget?

Varför gifte han sig med mamma? Älskade han henne? Var han otrogen mot henne med Mi Mi eller mot Mi Mi med mamma?

"U Ba! Varför stannade pappa kvar i New York när han blev klar med studierna i juridik?" Jag blev bestört när jag hörde min egen röst. Jag lät som mamma när hon försökte behärska sin vrede.

"Vad tror du själv, Julia?"

Jag ville inte tro någonting. Jag ville få reda på svaren. Jag ville veta sanningen. "Jag vet inte."

"Hade din far något val? Om han hade rest tillbaka till Burma hade han blivit tvungen att böja sig för sin onkels önskemål. Han stod i tacksamhetsskuld till denne. U Saw hade tagit på sig fadersrollen och en son trotsar inte faderns vilja. Det var inte Mi Mi som väntade på honom utan ett i förväg arrangerat liv. En ung brud. Ett stort företag. New York var hans enda chans att slippa allt detta." U Ba gav mig en blick, som om han kunde se i mina ögon om han hade lyckats övertyga mig eller ej. "Det där hände för femtio år sedan. Burma är ett konservativt land, nu likaväl som då."

Jag tänkte på U Bas beslut att ta hand om sin mor i stället för att gå på college. Det var kanske fel av mig att döma honom och pappa efter min egen måttstock. Tillkom det mig att avkunna dom över dem? Hade jag kommit hit för att hitta pappa, för att förstå honom eller för att sätta honom på prov?

"Han kunde ha kommit tillbaka efter U Saws död." Det var ett förslag, en underförstådd fråga och inte någon anklagelse.

"U Saw dog i maj 1958."

Tre månader före min brors födelse.

"Varför gifte han sig med mamma? Varför väntade han helt enkelt inte tills U Saw hade dött så han kunde åka tillbaka till Mi Mi?"

"Det kan jag tyvärr inte svara på."

Det var första gången som jag lade märke till en irriterad biton i U Bas röst. Han var snarare förbryllad än arg. Jag kom ihåg vad mamma hade berättat innan jag reste min väg. Pappa hade länge vägrat att gifta sig med henne. Han hade varnat henne för ett äktenskap dem emellan. Varför gav han efter till slut? Kände han sig ensam efter alla dessa år på egen hand i New York? Var det tröst han var ute efter? Hade han hoppats på att hon skulle hjälpa honom att glömma Mi Mi? Med tanke på allt som jag numera visste verkade det högst osannolikt. Älskade han henne? Det verkade inte så. Inte ur mammas synvinkel. Hoppades han att han så småningom skulle lära sig att älska henne? Blev längtan efter en egen familj till slut så stor att han gav efter?

Han kanske älskade henne, men det var bara det att hon inte såg det, hon kunde inte tro det eftersom det inte var hennes slags kärlek.

Stackars mamma. Jag såg för mig hennes hårda, bittra ansiktsdrag. Jag hörde hennes kyliga, vassa röst när pappa kom hem sent för att han återigen hade tagit färjan till Staten Island. Jag mindes dagarna som hon med regelbundna mellanrum tillbringade i sitt mörka rum, fjättrad vid sängen av någon mystisk sjukdom vars namn vi barn aldrig fick veta. Ingen förutom familjens läkare fick träffa henne, inte ens pappa. Nu vet jag att mamma led av depression. Mina föräldrar skulle ha haft det bättre utan varandra.

Jag tyckte synd om dem bägge två. Vad pappa än hyste för känslor för mamma och hur mycket han än trivdes med att umgås med oss, sina barn, vissa timmar så befann han sig inte där han hörde hemma. Han var inte tillsammans med Mi Mi.

Borde han klandras för att han föll till föga för mammas list och lämpor? Eller var det mamma som bar skulden för att hon ville ha någonting av honom som han aldrig kunde ge henne?

Vi gick vidare under tystnad. Stigen sluttade svagt nedåt och gjorde en skarp krök framför en ovårdad och igenvuxen häck. Vi fortsatte rakt på, banade oss fram genom snårskogen, korsade järnvägsspåren, vandrade över en äng och vek sedan in på en stig som ledde till en ganska isolerad del av Kalaw. U Ba förde mig förbi flera gårdar där en massa barn lekte. Vi stannade framför en trädgårdsgrind. Tomten var välskött. Någon hade nyligen sopat gårdsplanen. Det låg färskt kycklingfoder i ett tråg. Under verandan fanns en vedstapel och en hög tändved. Huset var inte stort men i utmärkt skick. Jag såg att det stod några plåtkärl och porslin, glas och bestick på verandan. Vi slog oss ner på översta trappsteget och väntade.

Jag kastade en blick över gården. Ett eukalyptusträd markerade gränsen till grannens ägor. Framför hönshuset stod en träbänk där man kunde sitta. Och framför den en stenmortel. Jag såg på de breda stolparna i verandaräcket. Ett barn skulle med lätthet ha kunnat dra sig upp på fötter med hjälp av dem. Det tog en stund innan alla bitar föll på plats. Nu förstod jag var vi befann oss. Jag reste mig hastigt och gjorde helt om.

Jag hörde pappas andetag i huset. Jag hörde Mi Mi krypa över golvet. Jag hörde dem viska. Deras röster. Jag hade hunnit ifatt dem.

U Ba fortsatte sin berättelse.

Kapitel 9

Det var alldeles tyst i tehuset när Tin Win avslutade sin berättelse. Man kunde höra stearinljusen fladdra och stamkundernas lugna andetag. Ingen rörde sig ur fläcken. Till och med flugorna, som satt orörliga på de kladdiga sockrade bakverken, hade slutat surra.

Tin Win hade sagt allt som fanns att säga. Nu svek honom rösten. Läpparna formade ord men de var inte längre hörbara. Skulle han någonsin säga någonting igen? Han reste sig, svalde en klunk kallt te, sträckte hastigt på sig och tog några steg mot dörren. Det var hög tid. Han vände sig om och tog farväl. Ett leende var det sista de såg av honom.

På gatan stod en lastbil full med soldater. Barn i gröna uniformer. Det verkade som om folk inte lade märke till den, men ändå tog alla en vid omväg runt fordonet. Det hade blivit sent.

Tin Win drog åt sin longyi och vandrade långsamt fram på huvudgatan. Till höger om honom låg klostret. På flera ställen stack det ut lösa bräder ur väggarna och det rostiga korrugerade plåttaket verkade inte ge särskilt mycket skydd mot regnet. Bara de små klockorna i pagoden pinglade som förr i världen. Ett par unga munkar med bara fötter kom emot honom. Dammet hade färgat de rödbruna klädnaderna grå. Han log mot dem. De log tillbaka.

Tin Win gick förbi den öde marknadsplatsen och när han kom fram till den lilla järnvägsstationen korsade han spåren och fortsatte långsamt uppför kullen där hennes hem låg. Han var övertygad om att hon fortfarande bodde i barndomshemmet. Han stannade ofta till och såg sig omkring. Han hade inte någon brådska. Inte efter femtio år. Han var inte ens orolig. I samma ögonblick som hans Thai Air Boeing 737 landade i Rangoon försvann all nervositet och han unnade sig i stället lyxen att vara glad. Det var en gränslös glädje som inte längre färgades av rädsla eller försiktighet och den växte sig allt större för varje timme som gick. Han hängav sig åt glädjen som redan var så djup att han med nöd och näppe kunde hålla tillbaka tårarna. Det hade gått ett halvt århundrade. Men äntligen var han här.

Vyn över Kalaw fascinerade honom. Den var både främmande och välkänd på en och samma gång. Han kom ihåg dofterna. Han visste hur staden luktade om vintern och om sommaren, på marknadsdagar och på helgdagar, när rökelsedoften fyllde husen och gränderna. Och han visste hur staden lät. Hans Kalaw stönade och väste. Den gnisslade och skramlade. Den kunde sjunga och gråta. Men han visste inte hur den såg ut. Han hade sett den som barn, men redan då bara med grumlad blick. Han kom fram till den engelska klubben där det växte unga träd i den tomma simbassängen. Längre bort såg han tennisbanorna och ovanför dem Kalaw hotell, byggt i tudorstil, med sitt röda tak precis som Mi Mi hade beskrivit det. Någonstans bakom nästa höjd måste det ha varit som han bodde med Su Kyi.

Tin Win stannade till vid ett vägskäl och visste inte åt vilket håll han skulle gå. Rakt fram eller åt vänster brant uppåt? I fyra år hade han burit Mi Mi uppför den här stigen utan att någonsin ha sett den själv. Han slöt ögonen. Nu hade han inte någon användning för dem. Det var benen, näsan och öronen som blev tvungna att minnas. Någonting drog honom rakt fram. Han gick vidare med slutna ögon. Han kände doften av mogen mango och jasmin. Tin Win kände igen den underbara doften. Det måste vara här som den släta stenen fanns där de ibland hade suttit och vilat. Han hittade den utan svårigheter.

Han hörde barnen leka på gårdarna, de skrek och skrattade. Det var inte längre hans ungdoms röster, men klangfärgen hos dem var densamma. Han häpnade över hur självsäkert han rörde sig med slutna ögon. När han hade försökt göra det i New York hade han gått rakt på fotgängare och stött emot träd och gatlyktor. En gång var han nära att bli överkörd av en taxi.

Här snubblade han inte en enda gång.

Han stannade framför en trädgårdsgrind.

Doften av eukalyptus. Han hade så ofta tänkt på det här trädet. Han hade legat vaken så många nätter i New York och föreställt sig att han hade denna väldoft i näsan.

Han öppnade grinden. Han hade så ofta sett detta ögonblick i fantasin.

Han gick in. Två hundar hoppade och skuttade runt fötterna på honom. Kycklingarna var i buren.

Tin Win hörde röster inifrån huset. Han tog av sig sandalerna. Fötterna mindes den här marken. Den här mjuka, varma jorden som silade ner mellan tårna. Han trevade sig fram till trappan och sträckte ut handen efter ledstången. Handen mindes träet. Ingenting hade förändrats.

Han gick steg för steg uppför trappan. Han hade inte någon brådska. Inte efter femtio år.

Han gick över verandan. Nu var rösterna dämpade. När han ställde sig i dörröppningen blev det tyst.

Han hörde att människor smög förbi honom och försvann. Till och med nattfjärilarna som nyss hade cirklat runt glödlampan flög ut genom fönstret och blev ett med mörkret. Skalbaggarna och kackerlackorna kröp skyndsamt in i sprickorna i träet.

Allt var stilla.

Han gick fram till henne utan att öppna ögonen. Han behövde dem inte längre.

Någon hade gjort i ordning sängen åt henne.

Tin Win knäböjde framför den. Hennes röst. Hennes viskningar. Hans öron mindes.

Hennes händer på hans ansikte. Hans hud mindes.

Hans mun mindes och hans läppar. Hans fingrar mindes och hans näsa. Han hade längtat efter denna doft så länge. Hur hade han klarat sig utan henne? Var hade han fått styrkan att komma igenom en enda dag utan henne?

Det fanns plats för två i sängen.

Så lätt hon hade blivit.

Hennes hår i hans ansikte. Hennes tårar.

De hade så mycket att tala om, så mycket att ge, men så ont om tid.

Framåt morgonen var de helt utmattade. Mi Mi somnade i hans famn.

Tin Win förstod av fågelsången att solen snart skulle gå upp. Han lade huvudet mot hennes bröst. Han hade inte misstagit sig. Hennes hjärta lät svagt och trött. Det var redo att stanna.

Han hade hunnit fram i tid. Men det var med nöd och näppe.

Kapitel 10

En släkting hittade dem vid tolvtiden på dagen. Han hade redan varit där en gång på morgonen och trott att de sov.

Tin Wins huvud låg mot hennes bröst. Mi Mi hade armarna om hans hals. När han kom tillbaka några timmar senare var de bleka och kalla.

Mannen skyndade ner till staden för att hämta doktorn på sjukhuset.

Doktorn var inte förvånad. Mi Mi hade inte lämnat huset på drygt två år. Under det senaste året hade hon legat till sängs. Han hade väntat sig att hon skulle dö vilken dag som helst. De hjärtljud som han hörde i stetoskopet lät inte uppmuntrande. Han begrep inte att hon kunde leva vidare trots sitt svaga hjärta och sina inflammerade lungor. Han hade flera gånger erbjudit sig att ta med henne till huvudstaden. Även om sjukhusvården var usel där så var den i alla fall bättre än i Kalaw. Men hon hade vägrat att åka dit. När han frågade henne hur i all världen hon lyckades hålla sig vid liv trots alla krämpor log hon bara. Han hade besökt henne för bara några dagar sedan och hade då haft med sig några mediciner. Han hade häpnat över hur livfull hon hade varit. Hon hade verkat piggare än under de gångna månaderna. Hon satt upp i sängen och gnolade för sig själv och hade en gul blomma i håret. Precis som om hon väntade besök.

Han kände inte igen den döde mannen som låg bredvid henne. Han var i Mi Mis ålder, antagligen burmes till börden, men han kunde inte vara från Kalaw eller trakten däromkring. Fast han var gammal hade han felfria tänder. Och doktorn hade aldrig sett maken till välskötta fötter. De tillhörde inte någon som hade tillbringat en stor del av livet med att gå barfota. Han hade inte händer som en bonde. Han hade kontaktlinser. Det kunde ju hända att han var från Rangoon.

Han såg ut att ha varit vid god hälsa och doktorn kunde bara spekulera om dödsorsaken.

"Hjärtsvikt" skrev han i sina papper.

Meddelandet om att Mi Mi hade avlidit spred sig lika snabbt i trakten som ryktet om att Tin Win hade kommit tillbaka hade gjort kvällen innan. De först anlända stadsborna stod samma eftermiddag på gården med små kransar av nyplockade jasminer och buketter med orkidéer, freesia, gladiolus och näva. De lade blommorna på verandan och när det blev fullt där placerade de buketterna på trappan, framför huset och på gården. Andra hade med sig mango, papaya, bananer och äpplen som offergåvor upp till huset på höjden och de byggde små pyramider av frukten. Mi Mi och hennes älskade skulle inte sakna någonting. De sörjande tände rökelsepinnar som de stack ner i marken och i vaser fyllda med sand. Bönder kom från åkrarna, munkar från klostren, föräldrar med sina barn, och de som var för svaga eller för gamla för att orka uppför bergssluttningen blev burna av vänner och grannar. När kvällen kom var gårdsplanen full av människor, blommor och frukt. Kvällen var klar och mild och när månen lyste över bergen var vägen och de närmaste omgivningarna till trängsel fyllda med sörjande. De hade med sig stearinljus, ficklampor och gaslyktor och de som stod på Mi Mis veranda såg ut över ett hav av ljus. Ingen talade högt, man bara viskade. De som inte kände till Tin Wins och Mi Mis kärlekshistoria fick nu höra den berättad i låg ton av dem som stod i närheten. Några av de äldsta byborna försäkrade att de hade känt Tin Win och de hade aldrig tvivlat på att han så småningom skulle komma hem igen.

Morgonen därpå var skolorna, tehusen och till och med klostret tysta och öde, och det fanns inte någon i Kalaw som inte kände till det som hade hänt. Processionen som följde de avlidna till kyrkogården genljöd av gråt, men man skrattade också och sjöng och dansade. I samråd med abboten, höga officerare och andra lokala dignitärer hade borgmästaren gett tillåtelse till att Mi Mi och Tin Win efter döden skulle förlänas en av Kalaws finaste ärebetygelser: deras kroppar skulle kremeras på kyrkogården.

Ända sedan gryningen hade en skara unga män samlat ihop tändved, kvistar och grenar och staplat dem i två högar. Det tog nästan tre timmar för begravningsprocessionen att ta sig från Mi Mis hus till kyrkogården på andra sidan staden.

Det blev inga ceremonier eller tal. Människorna behövde inte någon tröst.

Träet var torrt och flammorna glupska. Kropparna började brinna efter bara några minuter.

Dagen var vindstilla. Rökpelarna var vita som jasminblommor. De steg rakt upp i den blå skyn.

Kapitel 11

Jag blev överrumplad av U Bas berättelse om pappas död. Varför? Jag hade haft gott om tid. Men finns det någonting här i livet som kan förbereda oss på en förälders bortgång?

För varje timme som jag hade lyssnat på honom hade min förtröstan blivit allt större. U Bas skildring hade väckt pappa till liv så mycket bättre än mina minnen skulle ha gjort. Till sist var pappa så nära att jag inte kunde föreställa mig att han var död. Han levde. Jag skulle aldrig få träffa honom igen. Jag satt bredvid U Ba i trappan och var övertygad om att de fanns i huset. Jag hörde deras viskningar. Deras röster.

Nu var historien slut. Jag ville resa mig och gå inomhus. Jag ville hälsa på dem och krama pappa igen. Det gick flera sekunder innan jag förstod vad U Ba hade sagt. Som om jag inte hade tagit någon notis om det sista kapitlet i berättelsen. Vi gick inte in i huset. Jag ville inte se det från insidan. Inte ännu.

U Ba tog med mig hem till sig och där somnade jag utmattad på hans soffa.

De följande två dagarna satt jag i en fåtölj i hans

bibliotek och såg på medan han renoverade böcker. Vi pratade inte särskilt mycket. Han satt böjd över skrivbordet, djupt försjunken i arbetet. Han undersökte boksidor. Doppade pappersbitar i lim. Kopierade A:n och O:n och struntade högaktningsfullt i alla regler om effektivitet.

Jag lugnades av att se med vilket jämnmod han utförde sina sysslor. Han frågade ingenting och ställde inte heller själv några frågor. Då och då kastade han en blick på mig över kanten på glasögonen och så log han. Jag kände mig lugn och trygg i hans sällskap trots att vi inte sa många ord.

Den tredje dagens morgon gjorde vi sällskap till marknaden. Jag hade erbjudit mig att laga mat till U Ba, precis som jag brukade göra åt mina goda vänner på Manhattan. Han såg häpen men glad ut. Vi köpte ris, grönsaker, örter och kryddor. Jag tänkte göra en vegetarisk curry som jag ibland lagade tillsammans med en indisk väninna i New York. Jag fråga U Ba var han hade potatisskalaren. Han hade ingen aning om vad jag menade. Han hade en enda kniv och den var slö.

Jag hade aldrig tidigare lagat mat under så primitiva förhållanden. Jag brände vid riset. Grönsakerna kokade över och släckte elden. Han tände tålmodigt en ny brasa i spisen.

Men han tyckte ändå att maten var god. Sa han.

Vi satt med benen i kors på soffan och åt. Matlagningen hade avlett mina tankar men nu kom sorgen tillbaka.

”Trodde du att du skulle få träffa honom igen?” frågade U Ba.

Jag nickade. ”Det gör så ont.”

U Ba sa ingenting.

"Lever din far fortfarande?" frågade jag efter en paus.

"Nej. Han dog för några år sedan."

"Var han sjuk?"

"Mina föräldrar var gamla, särskilt med burmesiska mått mätt."

"Förändrade deras bortgång ditt liv?"

U Ba funderade en stund. "Jag brukade tillbringa mycket tid med min mor och numera är jag ensam oftare. För övrigt är det inte mycket som har förändrats."

"Hur lång tid tog det för dig att komma över sorgen?"

"Komma över den? Jag ser inte saken på det viset. När vi kommer över någonting så går vi vidare och lägger det som har hänt bakom oss. Lämnar vi de döda efter oss eller tar vi dem med oss? Jag tror att vi tar dem med oss. De gör oss sällskap. De stannar hos oss, om än i en annan form. Vi måste lära oss att leva med dem och deras död. I mitt fall tog den proceduren ett par dagar."

"Bara ett par dagar?"

"När jag väl insåg att jag inte hade förlorat dem återhämtade jag mig snabbt. Jag tänker på dem varje dag. Jag undrar vad de skulle ha sagt vid vissa tillfällen. Jag frågar dem till råds än i dag vid min ålder när det snart är dags att tänka på min egen död." Han serverade sig lite mer ris och fortsatte: "Jag hade inget behov av att sörja mina föräldrar. De var gamla och trötta och beredda att dö. De hade haft ett rikt liv bägge två. De kände inte någon ångest över att de skulle dö. De hade inte några smärtor. Jag är övertygad om att de var lyckliga i det ögonblick när deras hjärtan slutade slå. Kan man tänka sig en skönare död än denna?"

"Man måste kanske vara femtiofem år för att kunna se saken på det viset."

"Det är möjligt. Det är svårare när man är ung. Det dröjde länge innan jag kunde acceptera att min hustru hade dött. Hon var inte gammal, hon hade inte ens fyllt trettio. Vi hade just byggt det här huset och var så lyckliga tillsammans."

"Vad dog hon av?"

U Ba funderade länge. "Vi tillåter oss inte att ställa sådana frågor eftersom vi så sällan får svar. Du ser hur fattigt vi lever. För oss är döden en del av vardagen. Jag antar att människorna i mitt land dör tidigare än i ditt. Förra veckan fick grannens åttaårige son helt plötsligt hög feber. Två dagar senare var han död. Vi har inte läkemedel så att vi kan bota ens de enklaste sjukdomar. Under sådana omständigheter är frågan om varför och sökandet efter en dödsorsak en alltför stor lyx. Min hustru dog på natten. Jag vaknade på morgonen och upptäckte att hon låg död bredvid mig. Det är allt jag vet."

"Jag beklagar."

Ingen av oss sa något på en lång stund. Jag funderade på om jag hade förlorat någon som jag kände väl förutom pappa. Mormor och morfar levde fortfarande. En väninnas bror hade drunknat i Atlanten förra året. Vi hade ibland åkt med honom till Sag Harbor och Southampton på helgerna. Jag gillade honom, men vi stod inte varandra särskilt nära. Jag gick inte på begravningen. Den krockade med ett möte i Washington. Mamman till min tennispartner hade nyligen dött i cancer. När jag var liten tog jag pianolektioner för henne. Hon hade varit sjuk länge och jag hade avbokat besöken på sjukhuset trots att jag hade lovat att komma. Sedan var det försent. Döden var uppenbarligen inte allestädes närvarande vad mig beträffade. Det fanns de sjukas och döendes värld och en annan värld för de friska. De som var pigga och krya ville inte veta någonting om de sjuka och döende. Som om det inte räckte med ett enda felaktigt steg på tunn is eller ett bortglömt stearinljus för att slita en från den ena världen till den andra. En röntgenstråle mot en knöl i bröstet.

U Ba tog ut tallrikarna i köket. Han blåste kraftigt på elden i spisen en stund, lade dit ett vedträ till och satte på en kastrull vatten.

"Inget te för mig, tack", ropade jag och reste mig och gick mot dörren. "Vill du följa med?"

"Javisst", hördes U Bas röst genom träväggen. "Vart ska vi?"

Vi saktade ner farten. Jag var andlös men det berodde inte på att det gick uppför. Det var inte alls särskilt brant. Vi var på väg till den sista anhalten på min jakt efter sanningen. Jag hade stått framför det hus där pappa hade dött. Jag hade suttit i trädgården där han bodde som liten och som ung man. Nu ville jag veta var hans resa slutade.

"Det finns inte någon grav eller minnessten. Vinden spred hans aska åt alla håll", hade U Ba varnande sagt till mig. Jag fasade för att få se kyrkogården, som om jag därmed skulle tillstå att även min egen resa hade nått sitt slut.

Den sparsamt stensatta gatan övergick så småningom

i sand och sedan i en oländig, lerig stig. Snart skymtade jag de första gravarna som låg dolda bland buskar och torrt gräs. Gråbruna betongplattor. Många av dem var utsirade och försedda med inskriptioner på burmesiska medan andra låg där utan några prydnader eller inskriptioner i dammet likt spillror från en sedan länge övergiven byggplats. På en del plattor växte det gräs i springorna. Andra var övervuxna med törnbuskar. Det syntes inte till några nyplockade blommor. Ingen hade vårdat gravarna.

Vi klättrade upp till krönet av kullen och satte oss. Platsen låg öde. De enda tecknen på mänsklig aktivitet var gångstigarna som löpte som myrstigar över bergen. Det var tyst. Inte ens vinden susade.

Jag tänkte på våra promenader. På Brooklyn Bridge och färjan till Staten Island, på vårt hus och doften av varma kaneldoftande frukostbröd på morgonen.

Jag kunde inte ha varit mer fjärran från Manhattan, men ändå saknade jag det inte. I stället kände jag en nästan kuslig frid. Jag tänkte på när pappa läste sagor för mig om kvällarna och på operaföreställningarna i Central Park med fällstolar och en alldeles för tung picknickkorg. Pappa tålde inte plastbestick och pappersmuggar. Han var klädd i mörk kostym som om han befann sig på Metropolitan. Sommarkvällen var varm och stearinljusen lyste. Jag somnade varenda gång i hans knä. Jag tänkte på hans låga stämma, hans skratt, hans blick och hans starka händer som hivade upp mig i luften och sedan fångade mig.

Jag förstod varför pappa hade stannat hos oss och varför han efter mer än femtio år hade rest tillbaka till

Mi Mi. Det var inte bara pliktkänslan som hade hållit honom kvar i New York. Jag var säker på att han hade älskat sin familj, mamma, min bror och mig, var och en på sitt eget sätt. Och han älskade Mi Mi. Han förblev trogen sina bägge kärlekar och det var jag tacksam över. "Det är ytterligare en liten detalj som kanske kan intressera dig", sa U Ba.

Jag såg frågande på honom.

"Mi Mis bål fanns där", sa han och pekade på en rund cirkel några steg längre bort, "och din fars tjugo meter längre ner. Likbålen tändes samtidigt. Träet var torrt och flammorna slukade grenarna. Luften var alldeles stilla den där dagen. Rökpelarna steg rakt upp mot skyn."

Det där hade U Ba redan berättat för mig och jag undrade vart detta skulle leda. "Och sedan då?"

"Sedan blev det tyst", sa han och log.

"Tyst?"

"Fullständigt tyst trots alla människor. Ingen sa ett ord. Till och med elden slutade att spraka och brann vidare under tystnad."

Där var pappa igen, han satt på min sängkant. Ett ljusrosa rum. Gulochsvartrandiga bin som hängde i taket. "Och djuren började sjunga?" frågade jag.

U Ba nickade. "Åtskilliga av de sörjande berättade efteråt att de hade hört djuren sjunga."

"Och plötsligt – ingen förstod varför – började de två rökpelarna röra sig?"

"Det kan jag själv intyga."

"Trots att det var vindstilla drogs de mot varandra ända tills …?"

"Man kan inte förklara alla sanningar, Julia", sa han.

"Och allt som kan förklaras är inte sant."

Jag såg på de ställen där de uppstaplade risbålen med de döda kropparna hade stått och sedan kastade jag en blick mot himlen. Den var blå. Blå och molnfri.

Kapitel 12

Jag vaknade i mörker. Jag låg i hotellsängen. Jag hade vaknat ur en dröm. Jag var tolv tretton år. Det var mitt i natten i vårt hem i New York. Jag hade hört ljud från pappas sovrum. Mammas och min brors röster. Pappa flämtade, det var ett högt, skrämmande, omänskligt ljud som fyllde hela huset. Jag klev upp i mitt vita nattlinne och gick tvärs över hallen. Trägolvet kändes kallt under mina bara fötter. Det lyste i pappas rum. Mamma stod på knä vid hans säng. Hon grät. "N-nej", stammade hon. "Nej, för guds skull. Nej, nej, nej."

Min bror skakade pappa. "Vakna, pappa, vakna!" Han stod på knä över pappa och masserade hans bröstkorg och blåste in luft i hans mun. Pappa fäktade med armarna. Ögonen trängde ut ur sina hålor. Håret var vått av svett. Han knöt nävarna. Han kämpade. Han ville inte dö.

Han stönade högt igen. Armarna rörde sig långsammare. De knyckte till och blev slappa. En stund senare hängde de orörliga utanför sängen.

Jag hade vaknat av drömmen och jag kände mig tacksam över hur barmhärtig verkligheten hade varit.

Jag blundade och försökte föreställa mig hur pappas sista timmar tillsammans med Mi Mi hade varit. Men det kunde jag inte. Jag måste medge att det här var en del av honom som jag inte kände till. Fast ju mer jag tänkte på det, desto bättre förstod jag att jag inte hade någon anledning att sörja. Jag kände en sådan närhet till pappa men den kunde jag varken förklara eller beskriva. Det var ett barns naturliga och villkorslösa förtrolighet. Pappas död var ingen katastrof, varken för mig eller för honom. Han hade inte kämpat emot döden. Han hade tagit farväl. Han hade dött vid den tidpunkt och på den plats som han själv hade valt. Och i sällskap av sin utvalda. Det spelade ingen roll att det inte hade varit jag som satt vid hans sida. Det minskade på intet sätt pappas kärlek till mig. Några minuter senare somnade jag om.

När jag vaknade igen var det sent på förmiddagen. Det var varmt i rummet och den kalla duschen kändes uppfriskande.

Kyparen satt och dåsade i en vrå i matsalen. Han hade antagligen varit där sedan klockan sju. Äggröra eller stekta ägg. Te eller kaffe.

Jag hörde att kvinnan i receptionen hasade genom matsalen. Hon gick raka vägen fram till mig, neg likgiltigt och lade ett brunt kuvert på min tallrik. Hon meddelade att U Ba hade haft det med sig tidigt samma morgon. Det var för tjockt för att vara ett brev. Jag öppnade det. Inuti låg fem gamla handkolorerade fotografier som påminde mig om vykort från tjugotalet. Årtalen var skrivna med blyerts på baksidan. Det första var från 1949. En ung kvinna satt i lotusställning framför en ljus vägg. Hon hade på sig en röd jacka och en longyi och i det svarta håret som hon hade satt upp i knut hade hon stuckit in en gul blomma. Skuggan av ett leende. Det måste vara Mi Mi. U Ba hade inte överdrivit. Hon ägde en grace och en skönhet som gjorde stort intryck på mig och hennes ansiktsdrag präglades av ett lugn som på något märkligt sätt gjorde mig rörd. Blicken var intensiv, som om hon betraktade mig och ingen annan. Bredvid henne satt en pojke i vit skjorta som kanske var åtta nio år. Var han son till någon av hennes bröder? Han såg med allvarlig min in i kameran.

Fotografierna hade tagits med tio års intervall och på dem alla satt Mi Mi i samma ställning. På det andra fotografiet tycktes hon knappt ha åldrats en dag. Bakom henne stod en ung man med händerna på hennes axlar. De log bägge två på samma öppna och vänliga vis, men med ett tydligt stråk av melankoli.

På det tredje fotografiet hade åren börjat sätta sina spår hos henne, men det minskade inte alls hennes utstrålning. Tvärtom. Jag tyckte faktiskt att Mi Mi var ännu vackrare när hon hade blivit äldre. Jag kände inte till en enda kvinna där hemma som inte skulle ha tillgripit kosmetika eller skönhetsoperationer i ett fåfängt försök att hindra eller åtminstone dölja alla ålderstecken. Mi Mi såg ut att åldras med värdighet.

Även här var det en man med på bilden.

Det sista fotografiet hade tagits 1989, två år före pappas återkomst. Mi Mi hade gått ner i vikt. Hon såg trött och sjuk ut. Bredvid henne satt U Ba. Jag kände inte igen honom förrän vid andra ögonkastet. Han såg yngre ut än han gjorde nu. Jag spred ut fotografierna framför mig och undersökte dem noga än en gång.

Det var mitt hjärta som först anade likheten. Med ens slog det så hårt att det gjorde ont. Det tog en stund för hjärnan att formulera den befängda tanken och sätta ord på den. Ögonen flög från det ena fotografiet till det andra. Mannen på bilden från 1969 var också U Ba. Förmodligen var det han även på bilden tio år tidigare och likheten med barnet bredvid Mi Mi var slående. Jag räknade efter. Jag såg U Ba framför mig för min inre syn. Hans framträdande näsa. Skrattet. Den låga rösten. Hans sätt att klia sig i huvudet. Jag visste vem han påminde mig om. Varför hade han inte sagt någonting?

Jag ville genast träffa U Ba. Han var inte hemma. En granne sa att han hade gått till staden. Det var redan sent på eftermiddagen. Jag vandrade fram och tillbaka på huvudgatan och frågade efter honom. Ingen hade sett honom.

Han hade redan varit på tehuset. Kyparen som kände igen mig berättade att U Ba brukade komma dit två gånger om dagen. Men i dag skulle han säkerligen inte komma tillbaka. Det var den femtonde i dag. Tin Win och Mi Mi dog den femtonde och i över fyra år hade människorna i Kalaw ordnat en minnesstund för de älskande den femtonde i varje månad. Vid det här laget var U Ba på väg till Mi Mis hus. Jag behövde bara korsa järnvägsspåren och följa med strömmen av människor.

Det gick inte att missa den. Så snart jag kom fram till järnvägsstationen fick jag syn på en procession som slingrade uppför kullen. Kvinnorna balanserade skålar och korgar med bananer, mango och papaya på huvudet. Männen bar ljus, rökelse och blommor i händerna.

De röda, blå och gröna färgerna i deras longyis och de krispigt vita skjortorna och jackorna lyste i kvällssolen. När jag hade kommit halvvägs hörde jag barnens röster. Ackompanjerade av klockorna som pinglade i vinden sjöng de samma melodi som hade trängt ner från klostret bland bergen för några dagar sedan.

Jag skulle inte ha känt igen Mi Mis hus. Det var prytt med färggranna vimplar. Under takfoten hängde en kedja med små klockor. Gården och verandan var fulla av människor som leende hälsade på mig. Jag tog mig försiktigt fram genom trängseln. Bredvid verandan satt barnen och sjöng och många av de vuxna nynnade lågt med. Gång på gång klev folk uppför trappan och försvann in i huset medan andra kom ut på gården igen. Var någonstans fanns U Ba?

Jag knuffade mig framåt och följde med strömmen upp på verandan.

Huset bestod av ett enda stort rum utan möbler förutom en säng. Fönsterluckorna var stängda. Mängder av ljus stod utspridda på golvet och fick rummet att glöda i varmrött och gult. En stor buddhafigur stod på en hylla nära taket. Blommor, fat med frukter, teblad, cigarrer och ris stod staplade på sängen som var fullständigt täckt med bladguld – från sängstolparna och gavlarna vid huvudändan och fotändan till spjälorna där madrassen en gång hade legat. Sängen glimmade i det flackande skenet från stearinljusen. Vaser fulla med rökelsepinnar och skålar och fat med offergåvor stod på golvet. Det luktade rökelse och cigarrer.

Kvinnorna bytte ut den gamla frukten mot ny och färsk, tog bort vissnade blommor från sängen och ställde dit nygjorda blomsterarrangemang i stället. De bugade sig framför buddhan och gick sedan fram till sängen, blundade, lyfte händerna i vädret och drog med fingrarna över träet, som om de på det viset kunde väcka viruset som lurade inom oss alla.

"Döden är inte livets slut utan en etapp av det", hade U Ba sagt. Där i huset skulle han inte ha behövt förklara sig för en enda människa.

Jag stod orörlig kvar i ett hörn. Mörkret hade fallit. Genom en springa i väggen såg jag att gårdsplanen nu var upplyst av mängder av ljus.

Plötsligt stod U Ba bredvid mig. Han log som om ingenting hade hänt. Jag öppnade munnen för att säga något, men då satte han fingret mot läpparna för att visa att jag skulle hålla tyst.

Författarens tack

Jag vill tacka mina vänner i Burma, framför allt Winston och Tommy, för deras outröttliga och generösa hjälp med all research i Kalaw och Rangoon.

Jag vill rikta ett särskilt tack till min hustru Anna. Utan hennes goda råd, tålamod och kärlek hade den här boken aldrig blivit skriven.